39.99

Les Aliments

du désir

© 2003 Éditions Trajectoire
6, rue Régis – 75006 Paris
Tél. 01 42 22 56 84 - Fax : 01 42 22 65 62

Imprimé en France

I.S.B.N. 2-84197-262-3

Marie-Amélie Picard

Les Aliments
du désir

Éditions
TrajectoirE

" *Le goût est un baiser que la bouche*
se donne par l'intermédiaire
de l'aliment de goût "

Michel Serres, Les Cinq Sens

DIS-MOI COMMENT TU MANGES, JE TE DIRAI COMMENT TU AIMES...

Depuis bien longtemps les hommes ont recherché des moyens d'épicer ou simplement de susciter l'amour. Ils se sont demandés comment prolonger les moments de tendresse ou encore comment obtenir l'attention de l'être aimé.

Déjà, dans les cultures ancestrales, les peuples étaient conscients de l'influence de certaines préparations culinaires sur le fonctionnement du cerveau ou sur les états d'âmes. On se souvient qu'au Moyen Âge, les vieilles femmes savaient exactement quelles herbes ou épices elles devaient mélanger à une boisson pour obtenir un filtre d'amour.

Plus récemment, l'arrivée tapageuse du Viagra démontre que la préoccupation des hommes et des femme, soucieux de préserver et même d'améliorer leur performances sexuelles, est encore au devant de la scène.

Il est vrai que la pleine forme sexuelle et son parfait épanouissement sont très importants pour notre bonne santé physique et psychique ; la fonction sexuelle participe au même titre que les autres grandes fonctions de l'organisme à son équilibre.

Tout mettre en œuvre pour un parfait épanouissement sexuel relève d'une bonne prévention en matière de santé, et dans ce domaine les thérapeutiques naturelles, en particulier l'alimentation, occupent une place prépondérante.

La littérature sur les aphrodisiaques est abondante, imagée mais souvent scientifiquement légère. Pourtant, il existe à notre portée un bon nombre d'aliments qui contiennent des substances stimulantes et euphoriques pour remettre notre physique et notre moral au beau fixe.

Ces substances favorisent la bonne humeur, la sensualité et l'amour, combattent le stress et optimisent les performances sexuelles.

Attention ! Cet ouvrage ne s'adresse pas aux personnes souffrant de troubles sexuels d'origine physique ou psychique pour lesquels traiter la cause est l'unique manière de résoudre les problèmes posés, du ressort du médecin, sexologue, psychologue ou psychiatre.

Il s'adresse à tous ceux et toutes celles qui, après examen clinique et biologique approfondi, ne souffrent d'aucun trouble particulier mais qui ont la sensation de ne pas disposer de toute l'énergie sexuelle qu'ils pressentent en eux et qui désirent que leur corps suive davantage leurs désirs, ainsi qu'à toutes les personnes qui se sentent momentanément moins en forme et ressentent une légère diminution du désir, une fatigue passagère.

Si vous suivez attentivement ces conseils, vous devriez trouver ou retrouver rapidement la pleine potentialité de votre sexualité, à laquelle vous aspirez légitimement.

Et n'oubliez pas ! la cuisine fait partie intégrante du bagage amoureux. Valeur symbolique, mythique et sociale, histoire, anecdotes, conseils de préparation et recettes, c'est le moment de découvrir l'art de la sensualité à travers de nouvelles saveurs.

Marie-Amélie PICARD

INTRODUCTION

Savoir manger et " savoir-vivre "

Manger n'est pas un acte anodin, c'est aussi appartenir à la communauté humaine, participer à un groupe et communiquer à travers un langage.

L' alimentation nous immerge dans l'univers d'autrui, au point que le savoir manger est également " un savoir vivre ".

Le plaisir de la chair quel qu'il soit, culinaire ou sexuel, est un apprentissage. Nous vivons dans une société anesthésiée où l'on ne prend plus beaucoup le temps d'observer et de ressentir les choses, on consomme sans réellement se donner le temps d'apprécier.

Pasini, psychiatre et sexologue, résume d'ailleurs assez bien le rapport que nous entretenons avec la nourriture et le sexe : " *La rapidité réduit la nourriture et l'amour au plus petit dénominateur commun d'un acte distrait et conventionnel. Nous vivons à l'époque du fast-food et du fast-sex* ".

Pourtant, le fait de partager un repas possède une fonction de communication et d'intégration. A table, ont lieu les premiers échanges, se nouent les relations, les histoires, avec ou sans paroles.

En effet, nous apprenons à manger en famille, nous fêtons Noël ou les anniversaires avec des mets biens particuliers, nous célébrons des mariages en offrant un repas à nos invités et nous parlons fréquemment d'amour à table.

Dans le couple, la table peut être le point de départ ou l'aboutissement de très belles histoires d'amour. Ne dîne-t-on pas aux chandelles lorsqu'on espère terminer la soirée de façon plus intime ?

Nourrir l'autre est aussi un geste à significations multiples, c'est d'abord prendre du temps pour l'autre, c'est donner de l'amour et partager du plaisir ensemble.

Dans ce contexte, l'apprentissage du goût et des plaisirs de la table commence à l'instant où l'on fait attention à ce que l'on mange.

Comme les empreintes digitales, la perception de la saveur est propre à chaque individu. Pourtant un phénomène est prouvé scientifiquement : voir manger un aliment avec plaisir favorise chez le spectateur l'avancée vers ce même plaisir.

L'apprentissage de la nourriture est également celui de la sensualité : on touche, on sent, on admire les couleurs…

Une cuisine raffinée, des mets à la présentation soignée, apportent leur part de rêve nécessaire à la grande alchimie amoureuse qui doit effectivement à la science de la table.

Sachez donc que le premier aphrodisiaque est tout simplement le savoir-vivre !

Alimentation et sexualité : Un lien ancestral

Les liens entre alimentation et sexualité sont très proches depuis la nuit des temps. Qui ne connaît pas la légende d'Aphrodite, déesse de l'amour et du plaisir ?

C'est elle qui donna son nom aux remèdes stimulant le désir sexuel, nommés par les grecs " philtra ". Breuvages d'amour, stimulants des plaisirs charnels, ces philtres d'amour étaient consacrés à Aphrodite.

Cette déesse fut vénérée par les Grecs anciens car c'est elle qui offrit aux hommes de nombreux cadeaux : l'amour et les plantes grâce auxquelles les plaisirs des sens pouvaient être ornés et épicés.

Aussi, notre rapport au sexe et à la nourriture est tout à fait significatif dans le fameux mythe de Dionysos. Ce Dieu romain noue une relation tout à fait intime avec la nourriture, et en particulier le vin, qui grâce à ses propriétés enivrantes lui permettent de transgresser certains interdits.

Philtre d'amour très puissant, le vin avait un rôle central dans les dionysies, les fêtes et cérémonies du culte de Dionysos, dieu de l'extase !

Dans la tradition catholique, la gourmandise a été définie de façon négative tout comme le plaisir de la chair. Chez les Grecs, la gourmandise était associée à la volupté de l'amour et on pensait que satisfaire ces deux penchants empêchait d'atteindre la vertu suprême !

Luxure et gourmandise ne sont-ils pas des péchés intériorisés au plus profond de nos inconscients collectifs ?

En tout cas, il est clair que l'histoire alimentaire se confond nettement avec l'histoire sexuelle de l'humanité.

Chaque civilisation a trouvé ses propres aphrodisiaques. Les sociétés occidentales, arabes, indiennes, chinoises ou africaines ont depuis toujours recherché des moyens de susciter les plaisirs amoureux.

Aujourd'hui, il nous arrive souvent de nous régaler de certains aliments, sans savoir, parfois, qu'ils furent dotés d'une valeur et d'un prestige exceptionnels. Dieux, Déesses, amour, sorcellerie, légendes et commerce en firent pourtant de véritables mythes.

Les ouvrages qui traitent de la relation qu'entretien la nourriture avec l'érotisme sont nombreux. Ces derniers proposent des conseils et des recettes pour " ensorceler l'être aimé ". Citons à titre d'exemple le célèbre ouvrage " de Calixthe Beyala : " *Comment cuisiner son mari à l'africaine*". Pour séduire et stimuler l'amour de son partenaire, l'auteur nous propose une série de préparations culinaires déclenchant torrents d'extases et excès sensuels !

Dans un autre registre, le psychiatre Willy Pasini, auteur de " *Nourriture et amour* ", nous éclaire sur le rapport privilégié qu'entretien l'alimentation avec la sexualité : " *La nourriture et le sexe se rejoignent non seulement dans notre tête mais aussi dans notre cœur et dans notre ventre* ".

Mais s'il est vrai que c'est plutôt la faim que l'appétit qui nous pousse, nous attendons aussi de la nourriture et de l'amour bien davantage que la simple satisfaction d'un besoin primaire : " *ils doivent nous aider à transmettre nos sentiments, les bons comme les mauvais* ".

En fait, manger tout comme faire l'amour est un état d'esprit. La cuisine est lieu du corps et le discours culinaire est étroitement lié avec le discours du corps, ses maux et ses jouissances, ses grands désirs et ses dégoûts.

C'est évident : il existe un lien entre la nourriture et l'amour. Ils impliquent tous deux une notion de gourmandise. La chambre à coucher et la cuisine sont très proches l'une de l'autre, car gastronomie et sexualité sont une joie de vivre, dit le grand chef français Jacques le Divellec : " *Elles ont en outre ceci de commun que la cuisine ne peut pas n'importe comment et l'amour non plus* " !

La vérité sur les aphrodisiaques

Saviez-vous que Cléopâtre marinait les pêches dans du vieux vinaigre avant de les servir à Marc-Antoine pour mieux l'attirer dans ses filets ? Saviez-vous que dans l'antiquité grecque, les prêtresses composaient leurs filtres d'amour à base d'ail ? Quant au safran, il est référencé comme stimulant sexuel dans un écrit chinois datant de 2600 av. J.-C. !

Bien des aliments ont été aussi choisis pour leurs formes rappelant les organes génitaux. Les Aztèques appelaient l'avocat " testicule ". En Afrique comme en Asie, c'est la banane que l'on préconise pour ses effets dionysiaques. L 'huître et d'autres coquillages évoquent le sexe de la femme.

Aphrodisiaques, promesses sensuelles ou mensonges effervescents ? Existe t-il sérieusement des aliments réellement capables de requinquer la libido, c'est-à-dire de rajeunir l'appétence et la puissance sexuelles ?

Pour certains, cela ne fait aucun doute. Pour d'autres, un tel sujet fait sourire. En fait, tout dépend de ce que l'on espère des aliments de l'amour. Ramenée à sa juste mesure, la réputation des aphrodisiaques n'est pas surfaite. Tous contiennent des vitamines, oligo-éléments et autres substances régénératrices.

Les vertus de certaines plantes actives ont été vérifiées par la médecine moderne. En pharmacologie, on a démontré les effets stimulants et excitants de ce que l'on appelle les alcaloïdes, présents dans de nombreux aliments.

En fait, deux catégories de produits aident notre sexualité à s'épanouir, les stimulants et les énergisants. Dans la gamme des stimulants on trouve notamment le céleri ou le poivron ainsi que les fines herbes : basilic, lavande, romarin, thym ou menthe et, bien sûr, des épices avec en tête le piment. Parmi les produits énergisants, on trouve des produits d'origine végétale comme le ginseng, l'avocat ainsi que des produits d'origine animale, les fruits de mer ou encore les œufs. La grande quantité de vitamines A et E, par exemple, les protéines et les minéraux renfermés dans ces produits favorisent le fonctionnement des glandes et la circulation sanguine.

Autres exemples : Saviez-vous que le céleri, baptisé " légume lubrique " au Moyen Âge a une action stimulante sur la libido ? Que la cannelle, grâce à son odeur, a un effet très érotique et sert à exciter les glandes sexuelles via les circuits nerveux ?

Aussi, célébrés, parfois depuis des siècles, pour leurs effets miraculeux, les aphrodisiaques profitent d'une rente de réputation mythique ! Rien de tel pour se convaincre de l'efficacité de cet héritage.

Le seul fait de dire ou de supposer qu'une substance est aphrodisiaque peut suffire à la rendre telle. Les pouvoirs de l'imaginaire et de la conviction sont puissants ! Des centaines d'étude sur l'effet placebo l'ont montré.

Nous savons tous qu'un bon repas dans un lieu intime et sensuel, avec des aliments évocateurs, peut créer l'envie de faire l'amour. Investir dans un tendre dîner amoureux garni de fruits de mer et d'un bon vin, s'enlacer autour d'une coupe de champagne semble le plus efficace car le plus propice au flirt.

Cette complicité indéniable entre table et lit est bien évoquée dans cet extrait de l'Encyclopédie Britannique : " *La combinaison des diverses réactions sensorielles, la satisfaction visuelle à la vue de la nourriture appétissante, la stimulation olfactive de leurs odeurs agréables et la satisfaction tactile offerte au mécanisme oral par des plats riches et savoureux, tendent à porter vers un état d'euphorie général favorisant l'expression sexuelle* ".

Maintenant, n'allez pas imaginer qu'il suffit de cuisiner aphrodisiaque pour vous transformer en dieu ou déesse de l'amour. Désirer l'autre dans l'acte de l'amour ne peut être réduit à une pulsion mécanique ! Aphrodisiaque ou pas, on veut ou on ne veut pas ! C'est là toute la différence !

Désolé ? Non ! La rationalité rassure plus qu'elle ne désespère : le plus puissant des aphrodisiaques, c'est le cerveau !

Le rôle de l'alimentation

" *Six mois de flammes, trente ans de cendre* " dit un proverbe, pour expliquer la phase euphorique de l'amour, puis l'indifférence du couple.

Mode de vie et mode alimentaire se conjuguent pour désorganiser une fonction naturelle primordiale pour l'équilibre général. Le stress, par exemple, par l'épuisement des glandes surrénales, est sans doute ce qui concerne le plus de monde, mais d'autres éléments interviennent sur la fonction surrénalienne avec les mêmes effets. Ce sont le tabac ou la consommation excessive de café qui augmentent la production d'adrénaline et laissent l'organisme en situation de stress quasi-permanent.

Cette déperdition d'énergie qui affecte notre équilibre intérieur engendre souvent lassitude, usure du quotidien et perte de l'ardeur amoureuse.

Venir à bout de ces dysfonctionnements, retrouver son parfait épanouissement sexuel, c'est retrouver l'harmonie du corps et de l'esprit, par delà des blocages, qu'ils soient d'origine psychologique ou physiologique.

Ici, le cerveau est la clé de voûte du système : il perçoit et crée ; cependant il doit se nourrir pour bien fonctionner et pour bien commander l'ensemble du corps. La cuisine, simple ou raffinée, n'est donc jamais un luxe, mais une nécessité. L'utilisation de l'incontournable diversité des aliments nécessite que l'on trouve du plaisir en les mangeant.

Le plaisir esthétique et biologique de l'alimentation est physiologiquement indispensable pour assurer la pérennité et le bon fonctionnement du corps, c'est-à-dire la pensée quand il s'agit du cerveau.

Les propos de Jean-Marie Bourre, auteur de la " *Diététique du cerveau* " sont tout à fait significatifs : " *Ce que pense le cerveau de ce qu'il mange est fondamental. S'il n'est pas comblé, assouvi, son fonctionnement est perturbé. Il ne peut plus assurer correctement la coordination du corps ne celle de la pensée, encore moins celle des plaisirs. Le cerveau doit être bien nourri. Sa jouissance fonde aussi son efficacité ".*

Même si la complicité et l'amour entre un homme et une femme restent une affaire de psychologie, il n'en demeure pas moins que l'indispensable équilibre général allié à de bonnes réactions face au stress est nécessaire au bon fonctionnement hormonal, qui conditionne la sexualité, indissociable d'un bon état de santé, tant physique que mental.

Dans ce contexte, notre alimentation est une réponse vivante à nos désordres amoureux. Elle allume le désir, aiguise les sensations et grâce à certains de ses aliments, fait écho à nos problèmes de carences et de déficiences.

Grâce à elle, nous avons aussi la possibilité d'agir sur le système hormonal, nerveux et circulatoire dont le bon fonctionnement concerne directement l'échange sexuel. Elle agit sur le métabolisme, vient bouleverser l'endormissement de quelques milliards de neurones, et ramènent le plaisir.

Que manger quand on a la libido triste ?

D'après le nutritionniste américain Bernard Jensen, la mauvaise alimentation serait responsable de la piètre qualité de la sexualité contemporaine. Il ne s'agit pas d'une affirmation hasardeuse mais de la conclusion d'une enquête tout à fait scientifique.

Un régime alimentaire varié et imaginatif active les neuromédiateurs du plaisir sexuel et bloque les médiateurs hostiles.

Nourrir le cerveau avec de bons aliments permet en effet de réveiller énergétiquement notre corps et de se sentir en pleine forme sexuelle.

Chaque civilisation a eu ses aphrodisiaques. Aujourd'hui, les médecins et spécialistes des questions sexuelles sont beaucoup plus réservés mais ce qui est certain, c'est que ces produits naturels aident à combler des carences, ou à apporter des nutriments essentiels à une bonne marche des fonctions sexuelles. Ils sont donc utiles et rappelez-vous, les aliments ne sont pas seulement bons à manger, ils sont aussi " bons à penser " !

Il existe effectivement une multitude d'aliments et de préparations qui influencent le fonctionnement de notre cerveau et de nos états d'âme. Saviez-vous que les noisettes et les amandes accélèrent la production d'endorphines et du coup libèrent des sentiments de bonheur ? Que le céleri, grâce à ses substances odorantes et des phyto-hormones participent à une série de processus du métabolisme qui influencent notre vie sexuelle ?

Il en existe d'autres que vous utilisez quotidiennement comme l'ail et l'oignon qui sont riches en soufre et stimulent le métabolisme. Le miel qui fournit à l'organisme un fructose assimilable et favorable à la production d'énergie et à la formation du sperme.

Citons également les produits de la mer et notamment les huîtres qui contiennent du zinc, impliqué dans la synthèse de la testostérone. Cette hormone rend plus sûr de soi et guide la tension sexuelle. Casanova en engloutissait une centaine avant d'honorer une dame !

Côté épices, poivre, cannelle, cumin, safran, sans compter le piment, ont une réputation sulfureuse. Elles excitent le système nerveux et diffusent la vitamine C, entraînant une légère excitation tout à fait favorable à l'épanchement amoureux.

La vanille est tout aussi réputée. Les senteurs de la vanilline excitent certains circuits du cerveau, comme l'hypothalamus et libèrent des neurotransmetteurs qui influencent le comportement subtil de l'homme et de la femme.

Tout le monde connaît le gingembre pour ses vertus aphrodi-siaques. Par son action redynamisante et anti-fatigue, cette racine permet une production d'énergie inhabituelle, qui maintient l'érec-tion chez l'homme. La femme ressent les effets de la plante comme un feu intérieur, se diffusant jusqu'à la périphérie de la peau !

L'alcool, en particulier le vin et le champagne, à dose modérée, agissent comme un " solvant du surmoi ". Un bon vin dégèle bien des athmosphères...Quant au champagne, il a la réputation de " réveiller les amants fatigués " !

Au top ten de la nourriture érotique, les denrées rares, donc luxueuses, detiennent les premières places. Ainsi le caviar, bourré de vitamines et d'oligo-éléments, riche en phosphore (bon pour les cellules nerveuses).

Mais c'est la truffe qui inspire le plus de poètes, écrivains et cui-siniers de l'amour. Brillat Savarin consacra six pages de son traité " *Physiologie du goût* ", aux propriétés érotiques de la truffe. En fait, la truffe exhale une substance volatile proche de la testotérone.

Certains nutriments qui se trouvent dans notre alimentation quotidienne sont tout aussi essentiels bien que nous en soyons souvent carencés. Citons le bêta carotène qui participe à la synthè-se hormonale féminine et masculine, la vitamine C qui intervient dans la production du sperme, les vitamines B1 et B2 qui partici-pent au bon fonctionnement de l'hypophyse et des surrénales...

Cet ouvrage a sélectionné à votre attention les meilleurs aliments susceptibles de stimuler votre tonus sexuel. Pour chacun d'entre eux, nos connaissances ont été approfondies et actualisées autant que faire se peut.

Sachez qu'il n'existe pas de remède miracle, mais des principes simples et des méthodes agréables, qu'il faut connaître et appli-quer.

De nombreux conseils vous seront donnés et vous trouverez en fin d'ouvrage les meilleurs recettes pour réveiller une libido somnolente. C'est à vous de choisir parmi des plats, des desserts et même des cocktails qui promettent de prolonger vos nuits au-delà de vos attentes.

L'art des mets, l'art d'aimer : tout un programme !

ALIMENTATION ET ÉROTISME : MYTHE OU RÉALITÉ ?

LA CUISINE D'EROS :
HISTOIRE ET SECRETS DES APHRODISIAQUES

Le rapport entre la sexualité et l'alimentation existe depuis des temps mythologiques. On associait à Aphrodite, déesse de l'amour, un certain nombre de plantes aphrodisiaques, capables de réveiller la jouissance, les passions du corps et celle du cœur.

Les premières traces écrites faisant état de l'usage d'aphrodisiaques figurent sur des tablettes sumériennes de l'ancienne Egypte. De nombreux médecins et apothicaires de l'Antiquité et du Moyen Âge ont légué une somme d'informations et de recettes sur l'utilisation médicale des plantes et des animaux.

Galien, qui fit longtemps autorité, prétendait que les truffes " *disposaient à la volupté* ". L'huître, les bananes, le maquereau, les oignons, le céleri, la racine de gingembre, la corne de rhinocéros, le pénis pulvérisé de lion…passaient pour posséder des propriétés aphrodisiaques qui redonneraient une vitalité amoureuse à un mort !

Sous l'Antiquité, dans le célèbre herbier de Pline l'Ancien, on trouve notamment des indications thérapeutiques sur les vertus aphrodisiaques de plantes et d'aliments bien précis.

La médecine empirique médiévale avait, elle aussi, ses philtres d'amour, très souvent liés à des croyances magiques. On achetait ainsi chez les apothicaires des préparations destinées à susciter l'amour et à prolonger la vie. On y trouvait généralement de la racine de mandragore, des cantharides et de la verveine. Cette dernière était surtout destinée aux hommes qui voulaient que leur organe devienne dur comme fer, d'où son nom populaire allemand de " Eisenkraut " (herbe de fer) !

Les sociétés arabes, indiennes, amérindiennes, chinoises ou africaines connaissaient-elles aussi les vertus, à la fois sacrées et curatives des plantes aphrodisiaques. Le ginseng, dont la racine évoque un nouveau né, se vendait en Chine à prix d'or : il était censé éveiller le désir, décupler la puissance sexuelle et renforcer l'intensité de l'orgasme !

Aujourd'hui, la pharmacopée amoureuse est à notre disposition dans la nature, mais ces plantes ne sont pas simplement des excitants d'un moment. Elles agissent sur notre comportement, modifient notre humeur et notre sensibilité, nous rendent présents, dans notre corps, dans nos passions, dans nos désirs.

Et maintenant, laissez-vous guider par ce petit tour d'horizon historique et culturel et parcourez les jardins dans lesquels Aphrodite cultive ses plantes !

Mythes et légendes

C'est en Egypte, vers 1700 avant J.-C. que l'on peut trouver les premières traces de l'emploi d'aphrodisiaques comme remèdes à l'amour. Le vin fut un des premiers aliments recommandé, il était fabriqué à base de grenades et était utilisés lors des fêtes funéraires.

Quand une momie était portée vers la " chambre de métamorphose ", d'où elle devait renaître à une nouvelle vie, le cortège s'enivrait de ce vin aphrodisiaque. L 'ivresse permettait la fusion de la mort, de la renaissance, de la conception et de l'amour en une unité mystique, qui culminait dans la fête religieuse.

C'est à partir de là qu'ont été posées les bases de la croyance antique dans l'origine céleste ou divine des aphrodisiaques. Cette croyance s'est conservée dans l'antiquité gréco-romaine à travers de nombreux mythes.

Dans l'Odyssée d'Homère, chaque divinité était associée à des légendes variées et des plantes sacrées. Consommées, ses plantes permettaient souvent de communiquer avec le monde des esprits, les sphères divines et démoniaques ou d'autres forces naturelles normalement invisibles.

Aphrodite, la déesse du plaisir et de l'amour, fut celle qui donna son nom aux remèdes stimulant le désir sexuel, nommés par les Grecs philtron (plur. philtra).

On raconte que cette déesse était fille d'Ouranos dont les organes sexuels tranchés par Cronos, tombèrent dans la mer et engendrèrent une femme gracieuse, attirante, au corps nu et sensuel.

Aphrodite, " femme née des vagues " ou bien née du " sperme des dieux " devint bientôt le symbole de l'amour charnel et du plaisir amoureux. A peine sortie de la mer, la déesse fut portée par les zéphyrs d'abord à Cythère, puis jusqu'à la côte de Chypre.

Là, elle fut accueillie par les Saisons, vêtue et parée, et conduite par elles chez les immortels. La légende raconte que chaque fois qu'elle posait ses pieds à terre s'épanouissaient des fleurs et des arbres merveilleux. Surgirent alors narcisses et œillets, lotus bleus et menthes aquatiques et chaque buisson de roses fleuries répandit son parfum enivrant en son honneur.

Grâce à son apparition, Aphrodite rapporta de nombreux cadeaux aux hommes : l'amour mais aussi de nombreux végétaux, dont les fruits ou les fleurs chargés de pépins et de graines étaient synonymes de reproduction : grenade, lotus, coing, pomme…

Toutes ces plantes furent utilisées dans les grandes fêtes d'amour en l'honneur de la déesse. Des prostituées sacrées et des filles de joie participaient à ces orgies furieuses ce qui permettaient aux couples illégitimes de donner libre cours à leurs ébats !

Dionysos, appelé aussi Bacchus, fut aussi une figure célèbre dans l'histoire des aphrodisiaques. Dieu du vin, il entra en contact avec deux cultes phalliques de la fertilité, dans lesquels on honorait et consommait les plantes qui lui étaient consacrées et il y fut donc intégré comme dieu de l'extase.

Lors des Dionysies, importante fête donnée en l'honneur des dieux, les participants se soûlaient de vin aromatisé avec des herbes (thym, genièvre, cyprès, myrte). Ces fêtes orgiaques étaient aussi l'occasion de se débrider, les âmes les plus enivrées accédaient au plus haut des plaisirs tandis que les corps s'emplissaient du dieu.

Le mythe de Dionysos est lié à la capacité d'aller toujours plus loin, de se dépasser dans tous les domaines, y compris sexuel. Il est vrai que Dionysos vécut une série d'aventures incroyables. Grand hédoniste certes, il est aussi un grand travailleur qui doit se donner des forces pour affronter le vaste monde.

Dans la mythologie grecque, on fait aussi référence à Priape, fils de Dionysos et de la sensuelle Aphrodite. Cet enfant naquit avec une difformité physique (phallus dressé et démesuré) qui fit de lui le dieu de la fécondité. Priape fut en fait victime des maléfices d'Héra, ennemie d'Aphrodite.

Après sa naissance, Aphrodite surprit tous les dieux avec sa grande beauté. Zeus en était d'ailleurs devenu amoureux et l'avait possédée. Aphrodite était sur le point d'avoir un enfant, mais Héra, craignant que cet enfant, s'il possédait la beauté de sa mère et la puissance de son père, ne devint un danger pour les Olympiens, jalouse en outre des amours de son mari, toucha le ventre d'Aphrodite et fit si bien que son enfant naquit difforme.

En venant au monde, Priape était effectivement doué d'un membre viril énorme et démesuré ! En le voyant, Aphrodite eut peur que son fils, et elle-même, ne deviennent la risée de tous les dieux, et elle l'abandonna dans la montagne.

Là, l'enfant fut découvert par des bergers, qui l'élevèrent et rendirent un culte à sa virilité. Devenu dieu de la fécondité, Priape veillait sur les animaux et les végétaux pour en assurer la reproduction.

Plus tard, les Romains rétablirent Priape comme un symbole sexuel. Au pied des statues du dieu de la fécondité, les hommes priaient pour obtenir la puissance sexuelle, les femmes pour l'amour et les sorcières pour des sortilèges efficaces.

On enduisait le sexe de Priape d'huiles stimulantes, des plantes aphrodisiaques étaient plantées aux pieds des idoles. On y trouvait de l'anis, de la sarriette, de la graine de moutarde.

Ces produits étaient vendus sur tous les marchés romains, où tout le monde en achetait. Extrêmement populaires, ils étaient perçus comme un excellent moyen de reconstituer ses forces après une fête orgiaque et de regonfler ses batteries pour des excès à venir.

Caligula et Néron, par exemple, buvaient chaque jour de ces mixtures afin de pouvoir participer à des orgies de plus en plus extravagantes !

En étudiant de plus près la société romaine, on se rend compte que les Romains avaient une sacro-sainte peur de l'impuissance qu'il attribuaient souvent à des sortilèges de sorcières. La demande de remèdes était donc très forte.

Nombreux étaient ceux pour qui les aphrodisiaques n'étaient rien d'autre qu'un remède contre une virilité défaillante. D'autres espéraient trouver dans les aphrodisiaques un moyen qui permettrait d'enflammer les femmes frigides, de faire céder les femmes farouches ou d'ouvrir aux femmes dépourvues de désir le royaume des sens et de l'érotisme.

Pline l'Ancien concocta d'ailleurs de surprenantes recettes pouvant conjurer les mauvais sorts : " *Il fallait frotter le sexe avachi avec un pénis d'âne, le laver avec l'urine émise par un taureau après une monte, ou encore porter en amulette le poumon droit d'un vautour dans une peau de grue. On pouvait aussi porter le testicule droit d'un coq dans une peau de bélier, s'attacher une canine de crocodile au bras ou même s'enduire de crotte de souris !* " (Le guide mondial des aphrodisiaques).

Mais l'aphrodisiaque qui hantait les Romains était une sauce à base d'entrailles de poissons pourris et servie sous le nom de liquamen. Les voyageurs qui se rendaient à Pompéi en achetaient dans la fabrique réputée de la ville. Ils faisaient grand cas d'un plat d'escargots cuits dans du liquamen poivré !

Dans son *Art d'aimer*, datant du premier siècle de notre ère, Ovide recommandait pour sa part des oignons blancs, des œufs et du miel. En revanche, la sarriette était vivement déconseillée : " *D'aucuns conseillent à présent de manger de la plante malfaisante qu'est la sarriette. A mes yeux, c'est un poison. Ils mélangent aussi du poivre aux graines de la piquante ortie. Dans le vin, ils broient encore du jaune pyrèthre. Mais on ne peut ainsi astreindre au plaisir la déesse qui demeure dans le val ombragé d'Eryx. Prends plutôt de brillants oignons, que nous envoie la ville grecque d'Alcathoos. L'herbe charmante (Artémisia) qui croît dans nos jardins. Prends aussi des œufs, et prends le miel des forêts de l' Hymette* ".

En Chine ancienne, la philosophie et la médecine taoïstes donnent aussi leur version de l'art d'aimer. Elles ont pour objectif d'amener l'homme à l'harmonie du yin (négatif et féminin) et du yang (positif et masculin).

Pour les Chinois, l'amour charnel exprimait une harmonie du ciel et de la terre, du microcosme et du macrocosme, de l'homme et de la femme, de la clarté et de l'obscurité, du dur ou du mou, du solide et du liquide, du yin et du yang.

La médecine chinoise, plusieurs fois millénaire, interprétait les problèmes sexuels comme l'impuissance, la frigidité, le manque de désir ou l'éjaculation précoce comme un dérèglement des fonctions yin et yang. Deux expressions désignaient à proprement parler les aphrodisiaques : ce sont " les remèdes du renouveau " ou les " médicaments pour le yin et le yang ".

Empereurs et gens du peuple utilisaient fréquemment ces énergisants sexuels à base de cannelle, gingembre et fleurs de lotus permettant ainsi au plaisir de l'homme et de la femme de se réaliser et d'augmenter.

Des ouvrages érotiques sous la dynastie des Ming parlaient ouvertement et très respectueusement de ces produits : " *Lorsqu'on avale ces aphrodisiaques, la nuit d'hiver devient matin printanier. Et comme une tornade dans l'alcôve, tu atteindras le score maximal : Deux ou douze, cinq ou cinquante et aucune femme ne restera insatisfaite* ".

Mais ce fut surtout la racine de ginseng qui jouit d'une réputation considérable en Chine ancienne. La plus ancienne pharmacopée lui donne le nom de " racine de l'homme ". Originaire de Mandchourie, de Corée et de Sibérie, cette racine chinoise fut recherchée par les Chinois, depuis des millénaires.

Dans les légendes et les mythologies, elle fait l'objet d'une quête, dans des univers fantastiques. On considérait qu'à l'intérieur de la racine, vivait un esprit à forme humaine, qui s'accouplait érotiquement au chasseur de ginseng.

Exprimant le lien entre ciel et terre, entre homme et dieu, cette plante est perçue comme l'incarnation de l'esprit divin sur terre, création du dieu de la médecine. Dans le plus ancien livre de médecine chinoise, on peut lire : " *Le ginseng fortifie les cinq organes pleins (cœur, rate, poumons, reins foie), apaise l'esprit, harmonise l'âme, supprime tout anxiété, chasse les forces malines, fait briller les yeux, ouvre le cœur, rend les idées claires et pris, sur une longue durée, il fortifie le corps et rallonge ainsi la vie ''.*

Même si aujourd'hui aucun cas d'immortalité n'a été rapporté, il n'empêche que la racine de ginseng a conservé dans toute l'Asie sa réputation d'élixir de vie et de virilité. Même dans l'Atharvaveda, le texte fondateur de la médecine yajurvédique, le ginseng est prisé comme vajkarana qui signifie aphrodisiaque.

En Europe, les racines de ginseng, à forme humaine, étaient portées en amulettes destinées à améliorer les performances sexuelles et bon nombre de remèdes virilisants à base de ginseng étaient recommandés pour augmenter le plaisir et allonger la durée de la performance masculine.

La doctrine tantrique en Inde offre aussi de beaux exemples de plantes aphrodisiaques, liés la plupart du temps à des rituels érotiques de fécondité. Dans le tantra, le corps humain est constitué de sept centres d'énergie ou chakras répartis le long de l'axe du corps.

Rituels, pierres magiques, extraits de plantes réputées aphrodisiaques étaient un moyen de nourrir la déesse, présente dans le serpent qui habite le corps humain et par la même éveillaient les centres d'énergie.

Ainsi, dans les rituels tantriques d'accouplement, on raconte que les partenaires, après un bain de minuit, se frictionnaient le corps avec des essences parfumées et aphrodisiaques comme le musc, l'ambre, le santal ou la cannelle. Les partenaires devaient ensuite manger du poisson et de la viande, le tout arrosé de vin, symbole du feu qui déclenche le désir.

La coutume imposait ensuite d'ingurgiter un certain nombre de graines de fruits et de grains, censés agir comme aphrodisiaques et remèdes de puissance sexuelle : cardamome, sésame, pignons, pavot et graines de mandragore. Une fois les corps en condition et en position de lotus, les partenaires pouvaient s'accoupler.

Dans le Kâma Sûtra, livre d'amour que l'Inde nous a légué, on préconise d'ailleurs une alimentation particulière, notamment pour ce qui concerne l'activité sexuelle aisée par les laitages, les épices ou le sucre.

Le monde musulman peut aussi faire référence à de nombreux philtres d'amour même s'il n'autorisait pas la consommation de vin. L'art d'aimer oriental, transcrit par Cheikh Nefzaoui, propose des recettes érotiques essentiellement à base d'épices comme le gingembre, la cannelle, la cardamome, la noix de muscade, le clou de girofle mais aussi le poivre et la camomille !

Le Coran précise aussi qu'il est important de maintenir la flamme amoureuse et sexuelle dans le couple et que des moyens sont à disposition pour garder vivant le désir de l'homme et de la femme.

Cette dernière peut en effet porter une amulette de racine de mandragore. L'homme quant à lui peut absorber un breuvage aphrodisiaque composé de branches de laurier, de cervelle de moineau, du cœur ou du sang de colombe et de testicules de coq !

L'anis, aujourd'hui banalisé, faisait aussi merveille chez les orientaux. Les Arabes l'utilisaient pour pallier l'impuissance. Dans les célèbres contes des Mille et Une Nuits, la magnifique Schéhérazade vante son talent d'herbe amoureuse.

Mythes et légendes nous ont transmis un héritage de grande subtilité et bon nombre d'aliments que nous consommons quotidiennement sont chargés d'une très forte symbolique sexuelle.

A travers leur existence fantasque et turbulente, ils nous entraînent dans une promenade érudite et libertine, qui nous révèle aussi bien leur origine, leur pouvoir, les grands personnages auxquels ils ont été liés et les images érotiques qu'ils ont pu susciter.

Passion de l'aliment. Plaisir de la dégustation. Un voyage au cœur de l'univers alimentaire est d'abord un parcours en pays de goût, qui met tous les sens aux aguets en même temps qu'il fait appel à toutes nos ressources physiques et intellectuelles, de la mémoire aux muscles, en passant par la concentration et l'imaginaire.

Poursuivons notre voyage dans l'univers sulfureux des aphrodisiaques...

Sorcellerie et autres sortilèges amoureux

Durant la christianisation de l'Europe, bon nombre de plantes aphrodisiaques de l'Antiquité ont été présentées comme démoniaques et diaboliques. Leur usage sexuel était contraire à la doctrine chrétienne, prude et hostile au plaisir.

Accusées de sorcellerie et incarnant le vice, la perversion et la débauche, les aphrodisiaques avaient mauvaise réputation auprès de la morale religieuse.

A cette époque, la magie tenait une grande place dans tout ce qui touchait à l'amour. Les juges de l'inquisition reprochaient aux femmes accusées d'être des sorcières de fabriquer des philtres, des breuvages d'amour et d'avoir une sexualité contre nature, au service du plaisir et non de la reproduction.

Inutile de chercher un Kama Sutra dans l'occident médiéval ! Ainsi, en matière d'érotisme, l'imagination fait tout pour autant qu'elle puisse se concrétiser. On fantasme sur les philtres d'amour !

Les alchimistes possédaient ainsi un nombre impressionnant de recettes magiques, de philtres d'amour, voire de pratiques religieuses visant à corriger les défaillances, à augmenter le plaisir sexuel ou à favoriser l'enfantement. Que de pilules ont fait la fortune d'apothicaires inventifs : poudres de coriandre, de pervenche, de tormentille...

Ainsi, afin de hâter une sexualisation tardive, Hildegarde conseillait aux jeunes filles impubères de " *se frictionner l'aine, autour du nombril et sur le bas ventre avec de l'huile dans laquelle roses et oseille blanche auront macéré* ".

Pour remédier à la distension ou à la contraction des parties génitales mâles, " *il faut les enduire d'un cataplasme composé de pâte de froment mêlées de pêches* ". Enfin, si l'homme ne peut engendrer, " *il prendra des boutons de noisetiers, de la renouée, du poivre et de l'uvinda (substance ou plante non identifiée) cuits avec le foie d'un jeune bouc pubère, de la chair de porc grasse, il mangera le tout et sa descendance fleurira* " !

Autre exemple : un aphrodisiaque à péter le feu, tiré du *Livre noir des passe-temps amoureux* datant du Moyen Âge : " *Pilez dans un mortier des graines de bardane. Ajoutez le testicule gauche d'un bouc âgé de trois ans et une pincée de poils pris sur le dos d'un jeune animal blanc et réduit en poudre. Les poils doivent être coupés le jour de la nouvelle lune et brûlés le septième jour. Faire infuser tous ces ingrédients dans une bouteille à demi remplie de cordial. Ne pas boucher la bouteille. La laisser ouverte pendant vingt et un jour jusqu'à ce que le liquide devienne bien épais. Ajouter quatre gouttes de sperme de crocodile. Filtrer. Enduire de ce mélange les parties génitales. Attendre le résultat* ".

En revanche, dans le monde musulman, l'islamisation ne censure pas l'usage des aphrodisiaques. Le plaisir sexuel sous toutes ses formes n'était pas interdit aux fidèles du Prophète si bien que l'on trouve de nombreux traité d'éducation amoureuse au Moyen Âge qui célébraient le pouvoir de certaines recettes miracles : " *Ce secret merveilleux, jamais encore ne fut décrit : Un litre d'huile de carotte, un d'huile de radis et un quart d'huile de moutarde tu mêleras. Un demi litre de fourmis jaune safran vivantes tu ajouteras. L'huile au soleil à sept jours tu exposeras. Alors, quatre à deux heures avant coït, avec l'huile prête à l'emploi, le pénis, tu oindras. Puis à l'eau chaude, le lave-ras, et même après jouir, en érection tu resteras. Jamais moyen compa-rable ne fut conçu à cette fin* ".

Aussi, certains fruits et légumes ont joui au cours de l'histoire d'une renommée sulfureuse. Le céleri et l'artichaut, par exemple, ont un passé très lourd. D'autres qui ont l'air plus bénin, n'ont cependant pas une réputation sans tache...

Ces aliments sont aussi liés à de grands personnages. Voyons d'ailleurs quelles étaient les habitudes de consommation de ces derniers. A méditer...

Le céleri, nommé " légume viril " était considéré comme " *échauf-fant et par conséquent assez puissamment aphrodisiaque* ", pour les hommes principalement et était déconseillé pour les célibataires. De nombreux proverbes populaires témoignent de ses propriétés : " *le céleri rend sa force aux vieux maris* ", " *si l'homme savait l'effet du céleri, il en planterait dans son coutil* ", " *si la femme savait ce que le céleri vaut à l'homme, elle irait en chercher jusqu'à Rome* ". Le céleri fut le légume favori de Madame de Pompadour !

Catherine de Médicis croyait dur comme fer au pouvoir érectile de l'artichaut. Quelle drôle d'idée ! Pourtant, la reine n'hésitait pas un instant à en faire servir constamment à son cher et tendre Henri II, avec qui elle eut tout de même dix enfants !

Cette plante potagère avait la réputation d'être si émoustillante qu'on la déconseillait formellement aux jeunes filles vierges même si l'on en vendait à la criée dans les rues de Paris : " *Ah, les arti-chauts, les artichauts ! Ca vous chauffe le corps, ça vous chauffe l'esprit. Et ça vous met le feu où je pense !* ".

Autre fait troublant, la célèbre Ninon de Lenclos, à qui l'on prêta cinq mille amants, passait son temps à ingurgiter de la purée de petit pois servis avec un consommé à base de citron et de xérès !

L'asperge fut soupçonnée aussi d'innombrables vertus aphrodisiaques. Elle apparaît sur toutes les tables. Louis XIV ne restât pas indifférent à la belle et l'imposa dans les cuisines. Surnommée " invitation à l'amour " par Madame de Maintenon, on raconte que Louis XIV avait toujours des asperges à son chevet.

La moutarde eu aussi un succès fou. On n'en faisait une pâte avec des graines broyées et mélangées au verjus ou au moût de raisin. On lui donna le nom de " mou ardent ", qui est devenu " moutarde " au XIIe siècle.

On assaisonnait à peu près tous les plats " *d'un peu de moutarde épicée* ". Mieux encore, certains hommes se frictionnaient parfois avec un mélange composé d'huile de moutarde, de romarin et de miel !

La roquette posée sur les reins permettait d'émouvoir le désir de luxure et la poudre de semence de roquette mélangée à du vin et du miel était particulièrement efficace. C'est pourquoi, sans doute, la roquette était interdite dans les monastères !

Dans la France médiévale, un ragoût à l'ail assurait aux jeunes gens fougueux des nuits amoureuses sans fin. Le Talmud assure qu'il rend le sperme plus abondant et au Moyen Orient, le jeune marié porte encore une gousse d'ail à sa boutonnière !

La verveine jouait également un rôle prépondérant. *Le Grand Albert* mentionne que si quelqu'un porte sur lui de la verveine, il sera fort vigoureux dans le coït. Il conseille aussi de faire absorber la plante en poudre à la personne dont on veut éveiller l'amour. Le poivre, quant à lui, contiendrait " *une force bouillonnante* " et serait considéré comme virilisant !

Dans son dictionnaire de la cuisine, Alexandre Dumas vante les vertus des bananes. Pour lui, cette plante des Indes orientales et occidentales passait pour être " *le fruit défendu dans lequel mordit notre grand mère Eve* ". Caractéristique de l'opulence paradisiaque des pays chauds aux yeux des européens, certains botanistes qualifièrent même certains bananiers cultivés de " *Musa paradisia-ca* " !

En revanche, la scarole fut qualifiée d'anti-aphrodisiaque : " *La scarole est froide et éteint le désir amoureux de l'homme. Si l'homme a les reins trop vigoureux, qu'il fasse cuire de la scarole dans de l'eau, et que dans son bain, il place les feuilles ainsi cuites et chaudes autour de ses hanches. Qu'il recommence souvent : il éteindra ainsi le désir en lui sans nuire à sa santé. Et si une femme a les organes enflammés de désir et ne peut se maîtriser, qu'elle prenne un bain chaud avec de la scarole* ".

Enfin, citons la mandragore qui fut affublée de superstitions diverses : " *Si un homme a perdu toute retenue, qu'il prenne une mandragore en forme de femme...qu'il la garde attachée entre la poitrine et le nombril...qu'il réduise en poudre la main de cette silhouette...qu'il l'a mange et il sera guéri. Si c'est une femme qui éprouve les mêmes ardeurs en son corps, qu'elle prenne entre sa poitrine et son nombril une plante en forme de mâle et qu'elle fasse avec elle ce qui lui a été indiqué précédemment pour l'homme et l'ardeur s'éteindra en elle* ".

D'autres aliments comme le chocolat était aussi l'objet de bien des fantasmes. Il conquit tout autant la France. Madame de Pompadour qui était, selon Louis XV, " *froide comme une macreuse* ", se gavait de soupes de truffes et de céleri arosées de tasses de chocolat ambré.

La chocolatière de l'impératrice Joséphine concoctait des breuvages démoniaques destinés à attiser les sens, ce qui n'était pourtant pas vraiment nécessaire à la cour de Napoléon. Au XVIIIe siècle, au vu des propriétés scabreuses du chocolat, on le réservait aux adultes et on en donnait qu'en doses homéopathiques aux enfants !

Brillat-Savarin proclamait aussi que les huîtres " *en amour, sont nos alliées* ". Casanova voyait dans cet aliment " *un aiguillon de l'esprit et de l'amour* ". D'un adroit coup de langue, il la faisait passer de la bouche de sa maîtresse à la sienne : " *Il n'y a point de jeu plus lascif,* expliquait-il, *plus voluptueux entre deux amoureux. Quelle sauce que celle de l'huître que je hume de la bouche de l'objet que j'adore !* ".

Célèbre par ses aventures romanesques, Casanova débutait ses repas en mangeant douze douzaines d'huîtres !

Mais il n'était pas le seul à en apprécier les vertus. Henri IV était capable d'en ingérer plus de vingt douzaines sans être malade, et Marie-Antoinette en recevait à Versailles des fourgons entiers !

Aujourd'hui, la recherche d'aphrodisiaques est encore d'actualité. Sur internet comme sur certains marchés d'Afrique noire ou du Maroc, on propose des produits à base de cantharide, de yohimbe, voire de vuka vuka. Vasodilatatrices, ces substances extraites de la mouche cantharide ou de l'écorce d'un arbre africain peuvent provoquer des érections, à la manière du viagra.

Tout comme au Japon, à l'heure actuelle, où la corne de rhinocéros, de poudre de défense d'éléphant ou encore les testicules d'élan sont vendus à prix d'or au marché noir, de par leur soi-disant propriétés fécondes !

Cette cuisine " magique " continue de fasciner. L'histoire a toujours attribué des pouvoirs aux aliments. Sachez d'ailleurs que c'est tout de même une pomme qui a fait craquer Adam et qui lui a permis de découvrir les plaisirs de la chair !

Même si on ne croit pas véritablement aux vertus " biologiques " de tels ou tels aliments, on peut cependant leur conférer un réel pouvoir d'incitation au rêve, à l'aventure.

La cuisine érotique est, en définitive, une cuisine des cinq sens auxquels s'ajoute un sixième et où l'imagination se taille alors la part du lion.

Apparence, symbolique, rareté...tous les prétextes coquins sont bons pour susciter leur consommation !

L'aliment, porteur de puissants symboles

Bien des aliments aphrodisiaques ont été choisis par leur forme rappelant les organes génitaux. Les Aztèques appelaient l'avocatier " arbres à testicules " et faisaient de ses fruits un élixir de longue vie aux pouvoirs revigorants.

La silhouette phallique du concombre, de la rhubarbe, de l'épi de maïs, du céleri, de l'asperge explique qu'on y ait recours. L'huître et d'autres coquillages évoquent le sexe de la femme.

Juteuse et pulpeuse, la tomate est rapportée du Pérou par les Espagnols au XVIᵉ siècle. Considérée comme aphrodisiaque, elle reçoit, en italien, le doux nom de pommodoro, " pomme d'amour ".

Le profil de la banane est également très évocateur. Au début du XVIIIᵉ siècle, certains affirmeront que c'était elle, le fruit défendu du paradis ! Plus tard, Joséphine Baker en sélectionna douze et s'en fit un pagne qui restera dans les annales, en chantant : " *Moi, j'aime bien les bananes parce qu'il y a pas d'os dedans* " !

Colette, qui adorait les bananes, disait que " *c'était le bon dieu en culotte de velours Liberty* ". La consécration suprême de ce fruit exotique est le " banana split ". La banane fendue en deux, farcie de trois boules de glace vanille, nappée de chocolat chaud est un sommet de jouissance !

Le mystère auréolant le ginseng est aussi très certainement du à une forme évocatrice de sa racine. Tout comme la mandragore, il donne l'impression de posséder deux bras, deux jambes et une tête. Cette ressemblance avec l'homme pourrait induire des phénomènes psychosomatiques, lorsque nous croyons que cette racine est faite exactement pour l'homme, et qu'elle peut régler nos problèmes dans leur globalité.

La silhouette d'aspect humain de la mandragore inspira aussi les interprétations les plus délirantes. Pendant des millénaires, sorcières et magiciennes firent payer à prix d'or cette racine magique. Et paradoxalement, ce n'était pas son efficacité qui comptait mais sa forme humaine. Plus ce tubercule ressemblait à un homme, plus il valait cher !

En somme, les aliments sont des passeurs d'images, des explorateurs de la vie du corps et de sa puissance érotique. A travers leur existence fantasque et turbulente, on retrouve à peu près tout de la matière des anciens manuels érotiques. Inversement, les théoriciens ou pratiquants de la gastronomie ne manquent jamais d'accompagner leurs recettes de réflexions générales sur la sensualité, mettant en avant l'importance réciproque des plaisirs de la bouche et du sexe.

Ainsi Curnonsky agrémente-t-il son " *Nouveau Traité des excitants modernes : la table de l'amour* " de considérations sur le plaisir : " *La bouche nous est donnée non seulement pour manger mais aussi pour caresser...L'amour est une friandise. Près du divan qui accompagne les amoureux, il devrait y avoir des glaces, des fruits, de fines pâtisseries. Certaines liqueurs accompagnent les câlineries du flirt : rossolis, crèmes de vanille, marasquin mais pour réconforter les amants lassés, rien ne vaut un champagne bien rafraîchi* ".

Le langage, lui aussi, s'est emparé de cette symbolique élémentaire, l'entretenant par des dictons populaires entrelaçant discours culinaires et discours amoureux. Noëlle Châtelet, auteur du " *Corps à corps culinaire* " décrit avec beaucoup d'humour ces analogies.

La femme y tient le premier rôle puisqu'on la compare souvent à tous les fruits de la création : " un teint de pêche ", " une bouche cerise ", " les yeux en amande " ou " couleur noisette ", " les lèvres pulpeuses ", " le teint laiteux "...

La femme est aussi " une poule ", " une poulette " qui excite les sens : elle est " appétissante ", " à croquer ", on en " mangerait ". On va même argotiquement " se la farcir " !

D'autres expressions mettent en relief ce " *corps à corps culinaire* " : Dire d'une femme que c'est " un boudin ", " une oie grasse " ou qu'elle a la ligne d'un " haricot vert " est tout aussi courant dans la bouche de ces messieurs !

Enfin, les appellations " passer à la casserole ", " mariage consommé " ou " lune de miel " suffisent pour donner un aperçu rapide sur la manière dont s'imbriquent les plaisirs de la table et du sexe.

Les aliments apparaissent ainsi étroitement imbriqués à la vie des hommes, à leur plaisir comme à leur peine, à leurs mythes comme à leurs très quotidiennes réalités. Les sources les plus secrètes de la vie sociale empruntent les voies les plus matérielles de la nutrition pour prendre vie.

Dans ce contexte, la force organique du besoin de manger devient le support des formes les plus délicates des rapports humains dont la sexualité fait partie.

L'aliment partagé, mangé ensemble, reste un des trois liens sociaux fondamentaux : " *Je le connais, nous avons mangé ensemble* ". Toute parole reste abstraite ou inhumaine tant qu'elle n'a pas été échangée dans cette communion naturelle qu'est un repas.

Les aliments acquièrent donc au sein des repas une mystérieuse valeur symbolique qui est l'un de leurs facteurs d'acceptabilité. L'homme est donc probablement davantage consommateur de symboles que de nutriments.

Alain Senderens, grand chef cuisinier et l'un des fondateurs de la cuisine nouvelle, confirme cette tendance : " *Vous savez, on mange autant de mythes et de symboles que de calories !* ".

Prétextes à des symboles, supports de l'imaginaire et du langage, les aliments méritent donc qu'on s'intéresse à leur histoire car nous avons un rapport affectif avec eux, nous les aimons et nous les détestons.

Une civilisation est avant tout un vaste système de symboles. Le tabou du porc a d'abord été le refus pour les bergers nomades de manger l'alimentation de l'ennemi cultivateur égyptien. Actuellement le mythe de l'aliment naturel est une forme de refus de la vie industrialisée.

En mangeant un aliment, on communie avec le type de civilisation qui l'a produit, ce qu'explique parfaitement Claude Fischer dans la revue " *Communications* " consacrée à la nourriture : " *Le symbolique, les signes, les mythes, les fantasmes nourrissent, eux aussi, et ils concourent à régler notre nourriture. Les contraintes socio-culturelles sont puissantes et complexes : les grammaires culinaires, les principes d'association ou d'exclusion entre tel ou tel aliment, les prescriptions et les interdictions traditionnelles et religieuses, les rites de la table et de la cuisine, structurent l'alimentation quotidienne. L'usage des aliments, l'ordre, la composition et l'heure des repas sont précisément codifiés. Un certain nombre de marqueurs gustatifs affirment l'identité alimentaire, scellent très vigoureusement l'appartenance culinaire* ".

Toutes les sociétés ont tenté une mise en ordre de la nature, pour mieux agir sur elle et mieux tirer partie de ses ressources. Leurs conduites alimentaires obéissent aux règles de comportement dont elles se sont dotées et se dotent à l'égard de l'environnement naturel.

Ces dernières participent souvent à des rituels préparatoires destinés à amadouer les puissances surnaturelles qui - comme bien des hommes le pensent encore - gouvernent leur existence.

Il s'ensuit le respect de prescriptions diététiques dans le but de se maintenir en harmonie avec les éléments du cosmos et les pouvoirs immanents qui l'habitent. Il s'ensuit aussi des interdits alimentaires, des notions de pur et d'impur appliqués aux aliments, des obligations parfois fort contraignantes quant aux modes de préparation de ces aliments auxquels on prête volontiers des vertus magiques.

Les interdits du Lévitique, encore strictement observé dans les pratiques alimentaires juives, pourraient bien, quant à eux, avoir été surtout fondés sur le rejet de tout ce qui a paru jadis anormal ou désordonné au regard de la façon dont on percevait alors l'organisation de la nature et des êtres vivants qui la composent.

Il est arrivé ainsi que soient protégés par des interdits alimentaires des animaux considérés comme apparentés à des divinités ou réservés à des usages rituels. Il en a été de même d'animaux, voir de végétaux, pensés comme ayant des liens particuliers avec des groupes humains, comme c'est le cas dans diverses formes de totémisme.

En somme, " *Le choix et l'acceptation des aliments tiennent en grande partie à l'imaginaire qu'ils véhiculent et à leur histoire* ", explique Gérard Apfeldorfer, psychiatre et psychotérapeute.

Dans le Coran, le jeûne du mois de Ramadan obéit à des règles très strictes. Non seulement les musulmans s'abstiennent de nourriture et de boisson ainsi que de rapports sexuels de l'aube jusqu'au crépuscule, mais encore ils se gardent de mauvaises intentions et des désirs pernicieux. Pour eux, il s'agit d'une école d'amour, de sincérité et de dévotion qui développe une conscience sociale saine et cultive la patience, l'altruisme et la volonté.

La Bible fourmille aussi d'indications sur les tabous religieux des cuisines hébraïques et chrétiennes. On y trouve aussi la genèse d'interdits sociaux et sexuels où la nourriture devient prétexte à la législation et à la morale.

On apprend dans le commandement litanique qu'il " *ne faut pas faire cuire le chevreau dans le lait de sa mère* ". Jean Soler, auteur de la " *Sémiotique de la nourriture dans la Bible* " traduit ce commandement au pied de la lettre : " *Tu ne mettras pas dans la même casserole, pas plus que dans le même lit, un fils et sa mère* ".

En fait, tout laisse à croire que le tabou alimentaire garantit l'interdit sexuel et que la morale trouve en la nourriture le prétexte idéal à son maintien.

Tout ce qui est consommable par les hommes n'est pas nécessairement consommé. Cela peut-être affaire de goût mais aussi et souvent affaire de croyance quant aux bienfaits, méfaits ou statuts de tels ou tels aliments au sein des systèmes d'organisation et de fonctionnement de la nature que les sociétés humaines ont élaboré au cours de l'histoire.

Ainsi, nos relations avec nos aliments, les plus fondamentales de toutes, restent dans une inconscience totale. Or, c'est à travers ce que nous mangeons que nous choisissons notre type d'être, ce fond de sensation d'exister, qui constitue notre corps, notre moi et d'où découlent toutes nos autres relations avec les choses et avec les autres.

L'aliment rassemble, c'est-à-dire symbolise, le type d'activité qui l'a produit et le type d'activité qu'il va permettre après avoir été assimilé. C'est son travail et le sens de son travail, sa présence sur terre et le sens de cette présence, que l'homme goûte à travers ses aliments.

En somme, il n'est jamais inutile d'interroger le désir que nous avons de consommer tel ou tel plat. " *La sexualité se nourrit de l'imaginaire* " rapporte Joseph Levy, anthropologue et sexologue.

Alors pourquoi ne pas donner un supplément d'âme à votre alimentation ? Sachez que les aliments sont porteurs de messages et de symboles, qu'ils parlent de vous et de vos relations avec l'être aimé !

Le point de vue de la science

Tirés des contes de fées, les philtres d'amour ont en fait rêver plus d'un. Ces mélanges miracles, que l'on destinait à celui ou à celle dont on était épris, aboutissaient parfois à de curieux résultats. En d'autres termes, les aliments aphrodisiaques existent-ils vraiment ?

Qui penserait encore à servir à l'être aimé des artichauts et du céleri, comme le faisait Catherine de Médicis ou Madame de Pombadour, ou des bâtons de cannelle dont les effets, selon la légende, servirent à unir Tristan et Iseult ?

La science a-t-elle découvert le produit miracle des désirs assoupis ou bien en est-on toujours réduit aux bonnes poudres de perlimpinpin qui n'ont d'effet que si l'on y croit ?

L'organisation des systèmes du désir est fort complexe. En réalité, aucune substance organique, animale ou végétale ne peut les influencer. Généralement, peu efficaces, ces substances n'ont, dans le meilleur des cas, qu'un effet psychologique.

En janvier 1990 d'ailleurs, la Food and Drug Administration américaine affirmait, à la grande déception de certains, qu'aucun aliment, mis à part certains médicaments ou drogues souvent nuisibles à la santé, ne pouvaient susciter la passion.

Toutefois, l'expérience prouve que de nombreux aliments peuvent stimuler nos sens de la vue, de l'odorat et du goût et, par ricochet, éveiller notre désir sexuel.

Par ailleurs, les analyses chimiques que nous pouvons aujourd'hui effectuer prouvent que nos ancêtres ne s'étaient pas complètement trompés en sélectionnant certains produits pour leurs effets aphrodisiaques.

Nous retrouvons en effet dans leur composition des substances euphorisantes, des vitamines, des hormones végétales et des huiles essentielles qui permettent de retrouver une vigueur disparue.

Au regard de la science, il existe deux catégories de plantes médicinales : les plantes stimulantes et les plantes directement aphrodisiaques. Les premières renforcent l'action des secondes. Ce sont des plantes aromatiques comme le basilic, le persil, le thym, le romarin... ou enfin des plantes excitantes comme le café, le thé, le kola...

Les secondes se trouvent plus facilement dans le commerce comme le ginseng, la cannelle, le gingembre. D'autres sont exclusivement vendues en pharmacie sur prescription car elles possèdent une toxicité : ce sont la berce, le yohimbe, le bois bandé et le damiana.

Ces plantes aphrodisiaques ne concernent que les hommes. Leur effet provoque une érection grâce à une vertu vasodilatatrice. Mais attention, ces différents aphrodisiaques sont à utiliser avec parcimonie.

Non pas que vous puissiez venir à bout de vos ardeurs, mais l'emploi abusif de ces substances provoquent parfois des effets secondaires non négligeables comme, par exemple, l'insuffisance rénale ou les problèmes de foie.

Découverte plus récente, la maca, originaire du Pérou, surnommée le " viagra péruvien " semble faire des prouesses en Amérique du Nord et en Europe. La racine de maca n'est pas un médicament mais un complément alimentaire au même titre que le ginseng ou le ginkgo biloba.

Ce " viagra péruvien " combat énergiquement les effets négatifs de la vie moderne et de l'âge qui provoquent une diminution de notre tonus : fatigue physique et morale, stress, manque de sommeil, manque d'énergie et de concentration dans le travail, troubles de la mémoire, impuissance, baisse de la libido, troubles de la ménopause.

Certaines plantes aphrodisiaques influenceraient même notre imaginaire érotique. Leurs alcaloïdes sont à base d'opiates et de carbolines. Ces substances excitent, stimulent, mais aussi peuvent aiguiser et altérer la perception. Les opiates ressemblent aux endorphines et aux enképhalines que produit notre système neurologique.

On en retrouve au Gabon dans l'iboga. Cette " boisson d'amour " peut provoquer " des érections pouvant se prolonger plus de six heures ", un " effet antidépresseur " et une " incitation au fantasme ". L'iboga renforce aussi la résistance. Nous recommandons toutefois la prudence à nos chers lecteurs car cette potion magique présente des effets secondaires parfois mortels !

En réalité, ces substances dîtes aphrodisiaques déclenchent des réactions sexuelles qui ne sont pas globalement naturelles. Ces produits servent à donner un coup de fouet, mais sans réellement traiter les causes, ni aller au fond des choses.

Les recherches récentes en physiologie, biologie et chimie des deux sexes ont révélé que c'était en fait le cerveau qui " faisait l'amour ". Les propos de Jean-Marie Bourre, auteur de la " *Diététique de la performance* " vont dans ce sens : " *Pour combattre la défaillance sexuelle, il faut donc agir sur l'ensemble du système du désir, par seulement sur le bout de l'organe. La sexualité humaine ne se résume pas à une tuyauterie justifiable du plombier. Les aphrodisiaques existent, mais les meilleurs sont naturels, ils se trouvent dans le cerveau même de chacun* ".

Conclusion : l' alimentation est l'un des meilleurs moyens dont nous disposons pour améliorer notre potentiel physique et intellectuel. Inversement, mal manger le diminue. Il faut donc manger intelligemment : le développement optimal des capacités du corps et de l'esprit sont dans l'assiette !

Dans ce contexte, parlons d'aliments stimulants et (indirectement) aphrodisiaques. Il en existe de nombreux que nous consommons parfois quotidiennement. Les glucides et les lipides arrivent en tête des substances bénéfiques. Les protéines nobles, celles contenues dans la viande et les céréales, garantissent un niveau d'énergétique constant et poussent à la volupté.

Le zinc, présent dans huîtres, le calcium des laitages, le fer qui se trouve dans le foie et dans beaucoup de fruits, le soufre qui réside dans l'ail et l'oignon, ainsi que le phosphore, abondant dans les fruits de mer, sont " favorables " et décuplent l'énergie amoureuse.

Citons également la vitamine E contenue dans la plupart des huiles végétales et dans toutes les variétés de noix, dans le persil et les asperges. Elle est protectrice des cellules et des tissus et exerce une action directe sur la fonction sexuelle et la fertilité. Elle est appelée vitamine de la reproduction.

Les épices aromatiques et piquantes comme le gingembre, la cannelle, le poivre, le clou de girofle ou la coriandre parfument toujours les préparations dîtes aphrodisiaques. Les herbes, telles que le menthe et le romarin, sont également cités comme de merveilleux stimulants.

Pour sa part, le champagne, cette boisson aphrodisiaque par excellence selon certains, trouve son pouvoir dans toutes les petites bulles pétillantes qui excitent à la fois l'œil et le palais. Comme tous les vins, celui-ci contient aussi une certaine quantité d'alcool, dont l'action désinhibante est connue et peut favoriser les rapprochements amoureux.

Quant à la popularité du chocolat, elle n'aurait fait que grimper avec les années. Les scientifiques lui confèrent des propriétés aptes à réveiller les ardeurs de Venus. Les recherches biologiques menées sur cet aliment laissent penser que ses arômes présentent des effets excitants et agissent à la manière des parfums de truffe qui charment directement les aires de l'odorat et de l'émotion.

Aujourd'hui, les médecins et les spécialistes des questions sexuelles s'accordent à dire que la réputation de certains produits naturels aident à combler des carences, ou à apporter des nutriments essentiels à une bonne marche des fonctions sexuelles.

L'industrie pharmaceutique s'obstine pourtant à discréditer les végétaux qui pourraient concurrencer ses produits. Cela ne l'empêche pas de les étudier, par ailleurs, pour trouver de nouvelles molécules.

Et ce n'est qu'après les avoir brevetées à leur profit que les laboratoires daigneront en vanter les mérites.

ALIMENTATION ET SEXUALITÉ :
APPROCHE SOCIO-PSYCHOLOGIQUE

MANGER COMME FONCTION AFFECTIVE, SOCIALE ET IDENTITAIRE

" *Dis-moi ce que tu manges, et je te dirai ce que tu es* ". Par cet aphorisme, Jean Anthelme Brillat-Savarin, un des pionniers de la gastronomie française, suggère que l'alimentation, acte fondamental, quotidien et vital, est aussi un support privilégié de rites sociaux et de convivialité, contribuant fortement à la construction de l'identité, individuelle et collective.

La nourriture s'inscrit donc dans un réseau d'échanges et sert de médiateur entre les individus. Partager le pain, c'est devenir copain. Donner et recevoir de la nourriture, la manger ensemble, signifie la reconnaissance et l'acceptation mutuelles, des liens que l'on tisse ou réaffirme.

Mieux encore, la relation à la nourriture constitue pour nous la première relation à autrui. La relation première à la mère est une relation de bouche, creuset et matrice de la relation d'objet : mange-moi si tu m'aimes, je te mange parce que je t'aime.

" *Tout commence par la bouche, du premier cri à la première tétée, du premier baiser au dernier baiser d'adieu* ", souligne le docteur Claude Olievenstein dans " *Ecrit sur la bouche* ".

Pendant les premiers mois de notre vie, le fameux stade oral, décrit par la psychanalyse, la bouche, est notre lien privilégié avec le monde. Dans ce contexte, nos relations alimentaires puisent au plus profond de nous-même. Elles ont un sens, un langage inconscient.

Suivant la façon dont nous les vivons, elles nous font devenir gros ou maigres, majestueux ou effacés, séduisants ou repoussants. La façon dont nous aimons manger s'inscrit dans la façon même dont nous nous relions, dont nous communiquons avec les autres.

Si les mots " chère " et " chair " sont homonymes, c'est que la table et l'amour devaient se rencontrer, se compléter et, parfois, se sublimer l'un l'autre et bien souvent notre manière de cuisiner relève la force de notre désir.

En somme, la relation à la nourriture est une fabuleuse " table " de " comment " nous sommes dans la vie.

" *Dis-moi comment tu te nourris et je te dirai comment tu aimes* ", examinons de plus près ce que nous enseigne cet aphorisme bien connu.

L'alimentation, berceau de l'affectif

" *La relation à la nourriture est la première relation que l'individu soit amené à vivre* ", explique Bernard Waysfeld, psychiatre nutritionniste. Manger, acte universel, quotidien et indispensable, s'inscrit chez l'individu, d'emblée, dans une relation à autrui. En effet, l'immaturité du nouveau-né le rend dépendant des soins des adultes qui l'entourent.

Ces derniers lui fournissent en général les soins et la nourriture dont il a besoin, mais lui prodiguent en même temps aussi des caresses, des sourires, des paroles et des gestes qui entraînent un état de bien-être.

Ainsi, dès le début de la vie, manger va de pair, la plupart du temps, avec des expériences émotionnelles agréables. La faim est désagréable, douloureuse. Ressentir la faim, entraîne chez le bébé pleurs et agitations, seuls moyens à sa disposition pour attirer l'attention d'autrui avec l'espoir, dont il n'est pas conscient au départ, que l'adulte fera cesser cet état.

A l'opposé, le rassasiement est détente, bien-être, sensation d'apaisement, et se traduit souvent par des sourires précédant un sommeil repu et tranquille.

Aussi, l'enfant ne mange pas seulement pour s'accorder une satisfaction individuelle, mais il mange pour " obtenir sa mère " qui doit être la plus disponible possible pour participer à l'échange des regards et lui offrir paroles et caresses dans des instants de relation privilégiée dont la valeur affective est incontestable.

Dans ce contexte, l'alimentation ouvre l'accès à la première expérience de satisfaction, fondement du désir et source de l'éveil affectif. Elle est un facteur dynamisant grâce auquel l'enfant éprouve le désir de vivre, de désir de se tourner vers l'autre et vers le monde extérieur.

Sachez donc que l'alimentation ne fait pas que nous nourrir. Elle est symbole, elle est moyen d'expression, moyen de séduction, moyen artistique ou encore moyen de récompense ou de punition.

Cette situation persiste tout au long de la vie, avec plus ou moins d'intensité selon les individus. Bien entendu, les manifestations sont différentes d'un nouveau-né à un adulte, et souvent, le langage permet à l'adulte d'expliciter le ressenti qu'il éprouve en mangeant.

Nos premiers moments de volupté, c'est donc à cette " cavité primitive " qu'est la bouche que nous le devons : " *Au " suçotement "* *qu'effectue le nourrisson en dehors des tétées succède celui du pouce, du* *porte plume, de la cigarette, et le baiser, acte hédoniste auquel on ne* *peut dénier le qualitatif d'érotique* ", explique Françoise Dolto.

Le zoologue Desmond Morris, qui s'est également intéressé aux comportements humains, confirme : " *Fumer n'est pas un simple plaisir, de même que sucer des bonbons est bien autre chose qu'une satisfaction du palais. Le contact oral, les mouvement de succion de la langue et de la bouche nous font revivre les moments de bien-être de notre petite enfance* ".

Voilà qui pourrait donner à réflexion aux accros de la cigarette ou du grignotage...Et explique également pourquoi, en période de stress, d'angoisse ou de déprime, nous sommes nombreux à bondir sur les premières " cochonneries pleines de sucre " !

Cette tendance à la régression alimentaire est " *un retour vers une partie de soi qui n'est plus, vers un paradis perdu* " souligne la psychologue Matty Chiva.

Il s'agit d'un retour à la mère nourricière d'autant plus que " *la préférence pour la saveur sucrée est inscrite génétiquement dès la naissance, pour que le nouveau-né accepte le lait maternel qu'il perçoit comme tel* ".

En d'autres termes, les bonbons ou sucreries seraient tout aussi réconfortants pour l'adulte que le sein maternel pour l'enfant. Ces tendances à la régression alimentaire ne seraient alors qu'un moyen détourné d'emmagasiner la vigueur nécessaire pour survivre aux épreuves de l'existence. Transgression oblige !

Ainsi, nous avons tous, sans exception, une relation affective avec les aliments. Et comme toute relation affective, elle peut être plus ou moins épanouie et traverser des périodes difficiles, des crises et des réconciliations.

Bon nombre d'entre nous utilisent la nourriture pour exprimer non seulement leur bien-être mais également leur mal-être. Manger ne répond pas toujours à la faim, mais peut-être utilisé à d'autres " fins ".

La boulimie, par exemple, peut s'expliquer par le manque ou l'absence d'amour que nous avons éprouvé dans notre enfance. Par notre dépendance à la nourriture, nous tentons de combler une souffrance. Derrière ce symptôme se cache un vécu, une histoire douloureuse unique à chacun de nous.

L'anorexie peut aussi venir d'un désordre affectif avec les parents. Tous les désordres affectifs ne s'expriment pas de cette manière, certes, mais dans ces troubles, on observe un rôle très important de l'alimentation dans les rapports parents-enfants. La nourriture est l'un des premiers thèmes de communication avec un bébé, les parents surveillent s'il mange bien, s'inquiètent quand il ne veut pas manger.

Qui n'a jamais entendu ces petites phrases durant sa tendre enfance : " mange pour faire plaisir à maman " ou " si tu manges bien, tu auras un cadeau " ?

Ces habitudes sont la preuve que l'alimentation représente bien plus que le fait de se nourrir, elle peut vite devenir un moyen de chantage affectif.

De même, certaines recherches sur la boulimie et l'anorexie montrent que les troubles alimentaires et sexuels se superposent souvent. L'absence de satisfaction sexuelle peut effectivement conduire à la boulimie.

Nous l'avons vu, les réponses sexuelles et les habitudes alimentaires naissent d'une même fixation précoce dite orale de la personnalité, qui engendre à la fois des difficultés alimentaires et des problèmes sexuels. On parle alors, selon les cas, d'anorexie sexuelle et ou alimentaire, ou de boulimie dans le même sens.

L'état malheureux coupe aussi parfois l'appétit. Le chagrin d'amour serait le régime idéal pour les moins de trente-cinq ans dont l'estomac se montre particulièrement boudeur en cas de rupture sentimentale ou d'amour malheureux.

Autre constatation intéressante : tomber amoureux nous détourne souvent des plaisirs de la table. C'est l'être aimé qui désormais nous nourrit. Devenu l'unique objet de notre désir, il occupe entièrement notre mental, allant jusqu'à faire disparaître appétit et faim.

Refuser la nourriture, manger en cachette, succomber à toutes les gourmandises, engloutir des quantités d'aliments énormes, ne se sentir bien dans son assiette que lorsqu'on est dans un environnement sécurisant, tout ceci peut arriver à chacun de nous, provisoirement.

Bien évidemment, si la fréquence ou les proportions de " ces dérives " augmentent au point de devenir une obsession, il faut réagir et consulter un spécialiste.

Il est donc important avant toute chose de bien comprendre quelle relation nous entretenons avec l'alimentation car cette dernière touche nos sens, nos émotions, notre affectif. Elle est miroir de nos relations avec les autres et miroir de nos relations sentimentales.

Evidemment, il ne s'agira nullement de méthode : celles-ci seraient inadaptées car nous sommes tous différents les uns des autres. Notre vécu, notre manière " d'assimiler " et de " porter le poids des émotions " est unique et subtil.

Néanmoins, une chose est sûre et valable pour tous : manger est avant tout une affaire de plaisir et ce plaisir est physiologiquement indispensable pour assurer le bon fonctionnement du corps et du cerveau.

La nourriture doit impérativement rassasier vos sens. Décelez toutes les saveurs que comportent vos mets, réjouissez-vous du plaisir visuel, olfactif et gustatif qu'ils vous procurent.

Pour que le plaisir ne soit pas anéanti par la honte ou la culpabilité, cessez de diaboliser certains aliments. Mangez de tout sans restriction, mais dans des quantités raisonnables.

Variez votre nourriture pour varier les plaisirs afin que celle-ci reste source de réjouissance et non de refuge, notez puis analysez les émotions qui vous poussent à dévorer ou au contraire à refuser.

Enfin, n'oubliez pas que vos repas sont miroirs de vos ébats, alors ne cessez jamais de les épicer !

Dis-moi comment tu manges, je te dirai comment tu es

La grande aventure de notre relation à la nourriture continue !

Etes-vous plutôt raviolis en boîte ou huîtres accompagnées de champagne, petite mangeuse pressée ou gros mangeur monotone ?

Réfléchissez bien, car vos préférences alimentaires en disent long sur votre personnalité. Tout le monde le sait aujourd'hui : on mange avec sa tête, avec ses souvenirs, ses émotions, sa nostalgie d'enfance, ses habitudes familiales et sa culture.

Nous l'avons vu, l'homme est tout aussi bien consommateur de symboles que de nutriments et comme le précise Claude Levi-Strauss, " *la nourriture doit être non seulement bonne à manger, mais aussi bonne à penser* ".

Les aliments sont chargés de références liées à ce que nous sommes et à ce que nous avons vécu et généralement, nous nous construisons à travers eux.

D'après une étude menée par l'Observatoire des consommations alimentaires, nous apprenons que les femmes ne mangent pas comme les hommes, et qu'elles sont plus sensibles aux qualités nutritionnelles des aliments.

L'homme dans soixante pour cent des cas , est ce qu'on appelle un " gros mangeurs diversifié ". Son rapport à la nourriture est simple. Il a gardé en mémoire la structure traditionnelle des repas que lui préparait sa mère : entrée, plat, fromage et dessert.

Attention Mesdames ! Aux fruits et légumes, il préfère des aliments plus " virils " qui tiennent au corps !

Ce qui n'est pas le cas des femmes qui entretiennent une relation plus complexe avec leur assiette, dominée par la volonté d'être mince et en bonne santé. On sait aussi qu'elles sont davantage consommatrices d'aliments plus " délicats ", " doux ", qui symbolisent la fragilité et la douceur. Par exemple, le poisson, le vin blanc, les légumes verts, les pâtisseries, les yaourts, l'eau minérale, le lait, la salade.

Pour les hommes, ce sont surtout les aliments forts en goût, épicés ou des alcools affirmés comme le whisky, la bière, le gibier, le fromage corsé et la viande rouge.

Gérard Apfeldorfer explique cette tendance par le fait que nous nous approprions les qualités que nous prêtons aux aliments que nous consommons. De ce fait, hommes et femmes construisent leur identité à travers des aliments qui symboliseraient plutôt la virilité ou plutôt la féminité.

Aussi, la façon dont nous aimons manger s'inscrit dans la façon même dont nous nous relions au monde et communiquons avec les autres. Comme le souligne le sociologue Jean-Pierre Poulain : " *Nous ne mangeons pas n'importe quoi, avec n'importe qui, à n'importe quel moment, de n'importe quelle façon* ". Faire ses courses, préparer un repas, le consommer, est une forme de langage propre à chacun.

Partager un repas est un moyen de parler de soi. La qualité des plats ou des vins que vous servirez à vos convives peut-être le moyen de mettre en avant votre bon goût, votre savoir-faire mais aussi votre appartenance sociale et culturelle : " *Les produits du terroir jouent un rôle identitaire extraordinaire. Pour les personnes extérieures au clan, ce repas terroir peut représenter une épreuve initiatique : l'acceptation dans le clan passe par l'adhésion à la cuisine. Les repas régionaux sont aussi l'occasion, pour ceux qui habitent loin de leur région d'origine, de parler d'eux et de leur culture à leurs amis, et ainsi de mieux se faire connaître* " expliquent Jean-Pierre Corbeau et Jean-Pierre Poulain.

Un repas improvisé suite à une invitation spontanée est tout aussi révélateur du rapport que nous entretenons avec les autres. Dans ce cas, on donne la possibilité à ses convives de partager son quotidien et son intimité pour construire un " nous " collectif très fort comme si nous appartenions à une grande famille.

Pour certaines femmes, la nourriture, le repas pris ensemble occupe une place importante dans leur existence. C'est avant tout le moyen de maintenir la cohésion familiale ou conjugale. Le fameux " on tient un homme par la cuisine " de nos mères reste terriblement vrai !

Inconsciemment, ces mères nourricières qui font preuve d'une réelle motivation pour nourrir les autres assurent indirectement leur pouvoir afin de garder auprès d'elles les êtres qui lui sont chers.

A l'opposé, le comportement alimentaire des célibataires est tout aussi instructif. Edouard Malbois, directeur général du bureau des styles alimentaires Enivrance nous livre les dernières tendances food de demain : " *La bouffe devient un conjoint. On vit avec elle un compagnonnage amoureux. C'est peut-être aussi le résultat du pourcentage élevé de célibataires urbains. C'est tellement plus facile de se faire plaisir avec un aliment que d'entretenir un discours amoureux avec un être humain* ".

Autre découverte troublante : la jeune génération des vingt-cinq-trente ans en milieu urbain aurait tendance à faire un " transfert de libido " vers leur assiette !

Nous l'avons vu, la circulation entre la nourriture et le sexe a été une constante dans l'histoire. Le hic, c'est qu'apparemment ce processus ne s'opère plus aussi bien comme si on se contentait, actuellement, de sensualiser la nourriture au maximum, en désinvestissant complètement dans le sexe.

" *L'alimentation, comme le sexe, est une incorporation. Or, l'incorpo-ration sexuelle est évitée aujourd'hui* analyse Jean-Pierre Corbeau. *D'une part, à cause des dangers associés au sexe (sida). D'autre part, parce qu'on vit dans une société qui, malgré les apparences, vire au puritanisme aigu. On consomme une alimentation qui développe énor-mément les prémisses : les bouchées, les tapas, les mezzés...Finalement, on prend son plaisir dans les préliminaires, dans l'attente, dans le non-acte. Et on se met à jouer avec la nourriture comme on jouerait avec un partenaire amoureux* " .

Faim d'identité, de correspondance profonde entre ce que nous mangeons et ce que nous sommes, on se met à table pour une sorte d'introspection, pour poursuivre une éternelle et infinie quête de sens.

D'autres études ont montré qu'il existait un lien probable entre nos attitudes à table et au lit. On parle généralement d'attitudes gastro-érotiques.

Willy Pasini, dans son ouvrage " *Nourriture et Amour* " commen-te les résultats d'une enquête réalisée par l'IFOP au mois de décembre 1994, auprès d'un échantillon représentatif de la popu-lation française de mille cinq cent soixante-quatorze personnes.

L'étude avait pour objectif d'étudier quels étaient les liens entre l'alimentation et la sexualité. Les résultats observés furent tout à fait intéressants. En voici quelques aperçus.

Selon le principe de l'analogie des comportements dans les dif-férents aspects de la vie quotidienne, une personne qui se montre rapide dans sa façon de manger devrait être tout aussi rapide ailleurs !

Sachez également que quatre-vingt pour cent des éjaculateurs précoces mangent vite, parlent vite et marchent vite. Enfin, Pasini confirme aussi que le fait d'avoir de bonnes manières devrait lais-ser prévoir un comportement analogue au lit.

Concernant la gourmandise et la séduction, on observe aussi que pour les deux tiers des gens, soit cinquante-huit pour cent, les gourmands n'ont pas à culpabiliser, bien au contraire, ils ou elles sont séduisants aux yeux des autres !

Les professionnels du goût, pour beaucoup, s'accordent à dire que les gourmets sont évidemment des jouisseurs dans la vie. Pour le célèbre cuisinier Jacques Le Divellec, c'est une évidence : " *Celui qui n'a pas d'appétit, qui se désintéresse, ne sait pas jouir dans la vie dans aucun des deux domaines* ".

Concernant les talents culinaires, Pasini nous apprend que les femmes qui font très bien l'amour sont à quelques pourcentages près tout aussi appréciés que celles qui sont de véritables cordons bleus !

Seulement vingt-quatre pour cent contre dix-neuf pour cent des hommes pensent que le cordon bleu possède plus d'atouts et la majorité se prononce en faveur du cumul de ces deux qualités. On se doute aussi que plus l'âge augmente, plus on choisit la cuisine.

Du côté des femmes, quatre-vingt-cinq pour cent des françaises trouvent les hommes qui cuisinent " très attrayants ". Ce sont les jeunes femmes de moins de vingt-cinq ans qui donnent les réponses les plus enthousiasmes.

En d'autres termes, notre manière ce cuisiner révèle la force de notre désir. D'où le constat, pas vraiment subversif, qu'une femme jugera différemment un homme selon qu'il aura préparé des raviolis en boîtes ou des huîtres au champagne !

Attention aussi aux régimes trop stricts ! Le jeûne réduit le désir, en diminuant le fonctionnement du système nerveux parasympathique et de la glande thyroïde !

Prendre conscience de ses comportements dans les différents plaisirs de la chair est un puissant vecteur de connaissance de soi, de ses blocages comme de ses talents, surtout si l'on sait que notre manière de nous nourrir a des répercutions sur notre vie sexuelle !

Les aliments ont un réel pouvoir d'incitation au rêve, à l'aventure. Oui donc aux cuisines exotiques, qui réveillent nos papilles et renouvellent notre plaisir de manger !

Oui aux aliments nouveaux, rares et inconnus. Goûtons aussi à tous les fruits défendus. Ces derniers raviveront notre être et permettront de nous surprendre nous-même !

La nourriture et le couple

Voilà une précieuse révélation ! Vous savez désormais vers quel catégorie d'hommes ou de femmes porter votre attention.

Si vous êtes convaincus de la fiabilité de l'étude menée par l'IFOP, n'hésitez plus, fuyez les ascètes, les chipoteurs d'assiettes et les sclérosés des papilles !

Plus sérieusement, si vous rencontrez une personne qui vous plaît et qui pourrait devenir votre âme sœur, jouez la carte de la prudence. Commencez par observer ses habitudes alimentaires, son assiette et inspecter son réfrigérateur. C'est plus révélateur qu'une discussion métaphysique !

En d'autres termes, l'amour dans un couple serait aussi fondé sur la connivence alimentaire des partenaires. Vivre harmonieusement à deux impliquerait-il forcément de manger la même chose ?

" *Pas obligatoirement* ", explique Nathalie Rigal, psychologue et auteur du livre " *La naissance du goût* ". " *Car la nourriture, entre deux personnes, peut être une source de divergences pouvant servir à la fondation même du couple et ensuite, à sa solidité. Car elle ajoute au sentiment de différence, de mystère : s'il aime ce que je déteste, ça veut dire qu'il est autre avec une sensibilité, une sensualité que j'ignore, qui m'échappe. Il est donc possible qu'il trouve du plaisir en dehors de moi, et ça me fait peur ! "*.

Pour l'autre, peut-on renoncer à tout ce qu'on aime manger ? C'est très difficile car, nous l'avons vu, nos goûts alimentaires sont le résultat de divers apprentissages issus de notre histoire culturelle et familiale.

Prudence tout de même concernant votre cher et tendre, sa répulsion pour votre gratin de courgettes n'est pas forcément la conséquence de l'éducation de sa maman. Alors, ne vous sentez pas flouée. Il est peut-être victime d'une répulsion sensorielle d'ordre purement génétique, quasi impossible à surmonter.

Quoi qu'il en soit, sachez que votre partenaire ne pourra jamais apprécier votre plat préféré de la même façon que vous. Pourtant, un phénomène est prouvé scientifiquement : voir manger un aliment avec plaisir favorise chez l'autre l'avancée de ce même plaisir.

Donc, à tout âge, on peut apprendre à aimer manger d'autres choses. Surtout si l'on est guidé par quelqu'un qu'on aime. Dans la vie de couple, tout peut se concilier, s'imbriquer ou s'enrichir des différences.

La cuisine est donc un formidable outil et son apprentissage est également celui de la sensualité : on touche, on sent, on admire les couleurs. Pour certains couples, ce partage de plaisirs et de sensations sera d'autant plus intense s'il est lié à des expériences vécues ensemble, des souvenirs ou tout simplement à leur histoire d'amour.

Vivre à deux, c'est aussi se retrouver le soir pour dîner et partager un moment de bien-être et de détente. Ce rituel, loin de tuer le couple, le soude et l'enrichit.

Il fait appel à tous nos sens et ces ingrédients forment des ancrages, à savoir des liens entre le présent et une expérience passée. C'est comme cela que se créent des repères, des références, des émotions qui peu à peu ancrent le couple dans son histoire : " *A chaque fois que vous accomplissez ce rituel, vous renforcez le sentiment de confiance réciproque* " explique la sexologue américaine Pat Love.

Le rituel (et non la routine !) est un message amoureux, un cérémonial digne d'engagement qui fortifie la relation et rend heureux d'être ensemble.

Pour Alain Etchegoyen, nourrir l'autre est aussi un moyen de donner de l'amour. C'est prendre du temps pour l'autre : du temps pour prévoir, pour faire les courses, pour cuisiner : " *Nourrir une femme que j'aime, c'est d'abord m'asseoir à côté d'elle pour que le corps jouisse par tous les pores de la présence, du toucher, du goût, de l'ouïe...C'est déjà savoir ce qu'elle aime et qu'elle aimera, le doux-amer, le sucré-salé, le gibier mariné, ou la note sucrée...Ce sont les moments les plus doux et, quoique je ne quitte la table qu'à regret en me mettant à distance de son corps, je sais qu'elle assortira son contentement instantané de gestes tendres* ".

Sachez aussi que la façon dont vous dresserez votre table contribue aussi à nourrir les fantasmes de l'érotisme à suivre.

N'hésitez pas à sortir plus souvent vos chandelles et vos verres en cristal. Ce petit rituel est très utile car il sert aussi à désamorcer les crises et la routine !

Pour les premières rencontres, le premier repas est une découverte mutuelle extraordinaire, un étonnement sacré. Généralement, on décide de dîner au restaurant pour ne pas brûler les étapes de l'intimité.

Choisir un endroit romantique où le service est chaleureux est primordial car ce dîner peut être le point de départ d'une très belle histoire d'amour !

Nourriture et amour sont deux apétits qui se rejoignent, des moments d'échange ; nos repas sont comme nos ébats : des indicateurs de notre accès au plaisir !

Quelques recommandations simples : pour ces dames : n'oubliez jamais l'estomac de vos chers et tendres !

Pour ces messieurs, sachez que les femmes vont trouveront plus séduisants si vous leur mitonnez des petits plats !

Enfin, pour les couples endormis, sachez que se renouveler est indispensable Pour que vos ébats soient à la hauteur de vos plats, faites preuve de surprise et de d'inventivité. C'est un gage de longévité dans le couple !

ALIMENTATION ET SEXUALITÉ : APPROCHE BIO-NUTRITIONNELLE

COMMENT BIEN NOURRIR SA SEXUALITÉ ?

Il est fréquent d'entendre dire qu'avec le temps, en couple, et avec l'âge, en général, le désir s'émousse et qu'on y peut rien. Eh bien non ! Le désir, comme toute chose, ça s'entretient !

La pleine forme sexuelle et son parfait épanouissement sont très importants pour notre bonne santé physique et psychique. Elle participe au même titre que les autres fonctions de l'organisme à son équilibre.

Tout mettre en œuvre pour un parfait épanouissement sexuel relève donc d'une bonne prévention en matière de santé, et dans ce domaine, l'alimentation occupe une place prédominante.

Car nous le savons tous, mode de vie et mode alimentaire se conjuguent pour désorganiser cette fonction naturelle primordiale pour l'équilibre général.

Une alimentation saine, un sommeil réparateur et régulier, une activité sportive fréquente et ludique, la chasse au stress mais aussi le maintien d'une bonne communication dans votre couple sont des composantes indispensables pour renforcer votre capital amoureux.

Souvenez-vous, " *nous sommes ce que nous mangeons* " alors ne négligez pas votre assiette, elle contient la réponse subtile, vibratoire à vos problèmes de dysfonctionnement.

Enfin, sachez qu'au-delà de l'effet direct des aliments sur la santé, donc au niveau physique, existe aussi un impact sur le psychisme.

Nous verrons à quel point les aliments que nous ingérons peuvent influencer sur notre caractère, notre comportement et notre moral, tant par leur composition intrinsèque que, dans certains cas, par les additifs que l'industrie agro-alimentaire se plaît à leur rajouter.

Autre point important : l'alimentation peut permettre aussi de jouer sur le clavier de nos émotions ou de nos états d'âme suivant les circonstances de notre vie !

A ces aliments susceptibles d'améliorer votre état psychique, n'oubliez pas d'ajouter la joie de vivre, le rire, la gaieté et l'amour qui sont eux aussi de véritables médicaments naturels !

Les obstacles à une sexualité épanouie

Pendant des décennies, les " pannes d'amour " étaient plutôt l'apanage des hommes. Pour des raisons sociales : ils travaillaient davantage.

Pour des raisons physiologiques, qui perdurent évidemment aujourd'hui, l'érection, ce phénomène complexe, qui dépend à la fois de facteurs biologiques et psychiques, indispensable à l'aboutissement des jeux amoureux, peut, à la moindre perturbation, faire défaut.

Aujourd'hui, il semble que les femmes sont aussi de plus en plus nombreuses à être victimes de blocages et de pannes de désir, car la vie moderne les a rattrapées et, surtout, elles en parlent davantage et refusent désormais de s'abaisser à ce qu'elles étaient seules à pouvoir réaliser : faire semblant.

Evidemment, au bout de plusieurs années, les automatismes bien rodés qui se sont insidieusement installés donnent à la vie de couple des allures d'entreprise familiale. On se retrouve le soir, fatigués, à discuter mécaniquement des diverses obligations du lendemain, on ne partage que des soucis !

Où sont passés les premiers émois, l'intensité presque électrique du moindre frôlement, du désir à fleur de peau ?

La routine s'instaure avec le sentiment de sécurité que procure la vie commune. Puisqu'on se réveille tous les matins dans le même lit, on a l'impression d'une évidence dans la continuité, et l'on oublie que le désir se nourrit de surprises, d'attentions, de plaisirs, dans la sexualité comme dans tous les domaines à deux.

Ne pas oser en parler...

La sexualité est un des plaisirs de la vie. Indispensable à votre épanouissement personnel, elle joue évidemment un rôle de premier temps dans la vie du couple. Dans ce domaine, un problème, quel qu'il soit, ne doit jamais être pris à la légère.

Ne le négligez pas, sous prétexte que tout finira par s'arranger avec le temps. Vous devez au contraire réagir aussi rapidement que possible, en évitant toutefois de dramatiser devant la moindre difficulté et d'en " faire toute une montagne ".

Pour désamorcer ces tensions et retrouver une sexualité épanouie, le premier pas est sans doute de réussir à s'en parler franchement.

N'oubliez jamais que la base de votre sexualité est avant tout la qualité de la relation que vous entretenez avec votre partenaire. Les griefs, les polémiques et le manque de complicité sont autant de facteurs qui inhibent le désir sexuel.

" *Le premier inhibant au désir est la colère. Viennent ensuite toutes sortes d'inhibitions sexuelles qui bloquent l'association : acte sexuel = plaisir "*, dit Michel Campbell, sexologue et psychologue.

S'enfermer dans un silence borné quand on se sent frustré ne fait aussi qu'entretenir la frustration et, par la même, tue le désir. Il faut donc rétablir la communication et en parler !

Parler de sexualité n'est pas toujours évident, on a peur de se dévoiler, d'être jugé ou dévalorisé à ses propres yeux. Avant de rejeter la faute sur son partenaire, il peut-être utile d'observer son propre comportement.

N'a-t-on jamais exprimé clairement à l'autre son désir, sa jouis-sance, son plaisir ? A-t-on déjà accueilli ses demandes avec chaleur, cherché à comprendre ce qui lui plaît pour augmenter son plaisir ?

Aussi, " *quand les troubles du désir apparaissent au sein d'un couple,* explique le docteur Christine Lorand, psychologue clinicienne, *il est fondamental de s'interroger sur le contexte qui a abouti à cette disparition.* ". En d'autres termes, de se poser des questions par tou-jours agréables : " Depuis quand n'ai-je plus de désir ? Cette bais-se de libido est-elle survenue à la suite d'un événement particu-lier ? Est-elle la conséquence d'un mode de vie peu propice à l'ex-pression du désir : horaires décalés, surcharge de travail, trop peu de loisirs pour avoir le temps de communiquer ? "

L'estime de soi joue également un rôle important dans la sexua-lité. Une mauvaise image de soi entraîne non seulement une déva-lorisation de son corps mais aussi une perte d'assurance dans la rencontre sexuelle.

Adoptez un point de vue positif sur soi et sa sexualité peut per-mettre de dépasser ses peurs et d'ouvrir sur un dialogue constructif.

Il n'y a pas de fatalité en la matière, votre attitude vous permet-tra d'avancer ensemble vers le meilleur. Encore faut-il prendre le temps de s'y consacrer vraiment, réserver des moments d'intimité où vous pourrez laisser émerger vos envies...

Autre obstacle bien connu, le culte de la performance ! On n'est pas obligé d'être au top à chaque fois ! La sexualité, comme les autres domaines de la vie, connaît des hauts et des bas et souvent, de trop fortes attentes font obstacle à une vie sexuelle épanouie.

Sachez que le sexe ne peut pas être toujours de la même qualité ou de la même intensité. Parfois ce sera comme si vos âmes s'étaient rencontrées. Parfois, ce sera simplement un moment agréable.

Encouragez-vous et valorisez-vous mutuellement. Nous vivons dans une société où on se détruit verbalement ! Veillons à ne pas nous laisser gagner par cet état d'esprit.

Admirez la beauté de votre partenaire. Dites-lui que vous appréciez la façon dont il se comporte avec vous et combien vous goûtez son amour. Des mots encourageants et valorisants qui viennent du cœur sont l'un des meilleurs stimulants que vous puissiez donner à votre âme sœur.

Communiquer, savoir écouter son partenaire est essentiel. Ne pas prêter suffisamment attention à l'autre, c'est laisser la porte ouverte aux conflits qui s'enracinent durablement.

Les moments clés à surveiller !

La vie d'un couple n'est pas toujours un long fleuve tranquille ! Certaines périodes " sensibles " nécessitent de votre part une vigilance particulière.

La grossesse tout d'abord. Le corps de la femme se transforme et l'homme se sent exclu. Le couple appréhende parfois les rapports sexuels. En fait, mis à part de rares contre-indications médicales, rien n'interdit la poursuite des relations amoureuses, bien au contraire. Elles sont un facteur d'équilibre et d'épanouissement.

Le post-partum, bébé est arrivé...Fatigue, manque de sommeil, fluctuations hormonales, moral en baisse et kilos superflus sont au rendez-vous. Si les premiers rapports après l'accouchement sont un peu difficiles, le couple a besoin de temps pour se retrouver. L'homme doit apprendre à désirer une femme dont le corps a changé. Accaparé par le nouveau-né, celle-ci ne doit pas pour autant négliger le papa.

La ménopause et l'andropause, les hormones sont en chute libre ! Pour la femme, la fin de la période de fécondité rime parfois, croit-elle, avec la fin de sa sexualité. Souvent, une petite déprime passagère peut s'ajouter au départ des enfants, à l'ennui. Celles qui, en plus, communiquent mal avec leur conjoint en viennent à appréhender la sexualité, puis à s'en désintéresser progressivement.

Pour l'homme, cette chute d'hormones a aussi des répercutions physiques et psychologiques : prise de poids abdominal, augmentation de la prostate, sautes d'humeur de plus en plus fréquentes...Enfin, l'impuissance peut s'installer peu à peu.

Le stress comme ennemi clandestin !

" *Le stress quotidien,* souligne Willy Pasini, *est un ennemi clandestin et bien souvent sous-évalué de toute relation intime. Parce qu'il détériore lentement, mais continuellement, l'amour* ".

Ce sont les glandes surrénales, au-dessus des reins, qui contrôlent les effets du stress sur l'organisme. La production d'adrénaline prépare le corps à la lutte et à la fuite en augmentant le rythme cardiaque et le taux de sucre sanguin.

Cette hormone accroît également la pression sanguine et la tension nerveuse, mais elle inhibe le désir sexuel. Voilà pourquoi trop de stress ou un stress permanent ne favorise pas l'harmonie sexuelle.

En outre, d'après les recherches récentes du psychologue J. Gottmann, célèbre pour ses études sur les dynamiques de couple, les partenaires qui laissent le stress s'immiscer dans leur relation voient leur communication diminuer de quarante pour cent !

" *Ils s'envoient des messages moins positifs, se font moins de compliments, plaisantent moins. Sarcasmes, accusations et remarques désagréables fusent. Les couples qui, au contraire, gèrent ensemble leur stress, signalent un accroissement de leur satisfaction conjugale. Ils sont comme des soldats sur un même front, celui de la vie quotidienne.* ".

Découvrir si l'on fait partie d'un couple gérant le stress en commun ou d'un couple qui succombe au stress, c'est comprendre si l'on court ou non le risque de rupture !

Attention à l'abus d'alcool et de cigarettes, à la prise de calmants, de somnifères et autres médicaments !

Nous l'avons vu, l'alcool, en inhibant les barrières mentales, les tabous intérieurs et les craintes, favorise la vie amoureuse. Casanova, ce grand séducteur, faisait boire du champagne à ses conquêtes pour qu'elles tombent dans ses filets et La Marquise de Pompadour, qui était réputée pour sa frigidité, éveillait un peu sa libido en buvant du champagne après avoir pris un bain d'ortie !

Evidemment, tout est question de quantité. Deux ou trois verres permettent d'ouvrir sa carapace et de laisser libre voie à l'extension du domaine du désir. Au delà, l'alcool qui déshydrate peut avoir l'effet inverse, à savoir assoupir et empêcher l'érection et l'éjaculation chez l'homme.

Le tabac, en consommant les réserves de vitamines B et C, et en enclenchant, après l'effet de stimulation illusoire et fugitif, une période de mini-dépression, contribue à mettre la sexualité en berne. Sans compter ses effets sur l'haleine !

La prise régulière de médicaments, affectant le système nerveux, peut également gêner la fonction sexuelle. Certains d'entre eux, utilisés particulièrement par les personnes âgées, telle que des anti-hypertenseurs, les antidépresseurs, les tranquillisants peuvent compromettre la fonction érectile et la libido.

Prudence aux mauvaises habitudes alimentaires !

A quelques heures d'un rendez-vous amoureux, n'allez pas manger un cassoulet qui va vous rendre mou, ballonné et apathique ! Faites au contraire un repas de poisson, de fruits de mer, lesquels vont stimuler votre libido et votre cerveau !

Ce qui se passe dans votre assiette a des répercutions directes sous la couette ! Commencez par proscrire les repas trop riches avant de faire l'amour et privilégiez les aliments du désir et de la bonne humeur !

Le bien fondé du rôle de l'alimentation dans la forme et l'épanouissement sexuel

Déjà dans l'antiquité, Hippocrate considérait que l'alimentation était notre première médecine. Aujourd'hui, les progrès de la recherche confirment, qu'au-delà du plaisir, la nourriture peut nous protéger contre les maladies.

Si les agressions de la vie moderne ont des répercussions sur notre sexualité, une nourriture déséquilibrée est un autre facteur qui entraîne le vieillissement sexuel.

Certaines maladies liées à une mauvaise alimentation favorisent l'apparition de troubles sexuels. Le diabète, par exemple, est l'une des causes les plus fréquentes. Les mécanismes à l'origine de ces troubles sexuels sont multiples : hormonaux, vasculaires, neurologiques ; c'est ainsi que l'on peut mesurer la vitesse de conduction des nerfs du petit bassin, qui se trouve alors très diminué.

L'hypertension artérielle, quant à elle, durcit les vaisseaux et entraîne la diminution de la circulation dans les artères irriguant les organes génitaux, ce qui affaiblit l'érection et provoque un refroidissement de toute la région génitale.

Par leur action indirecte sur les défenses immunitaires et la tonicité de tout l'organisme, ou directe sur le fonctionnement de l'appareil sexuel, les aliments jouent un rôle important mais souvent négligé.

Le système glandulaire, premier acteur de la sexualité, est sous la dépendance de l'hypophyse et de la thyroïde. Viennent ensuite les surrénales, puis les glandes sexuelles. Fonctionnement complexe qui permet aussi bien l'épanouissement des sentiments que de l'acte physique.

C'est pourquoi, lorsqu'on parle d'une vie sexuelle équilibrée, outre les conditions psycho-émotionnelles, nous devons aussi prendre en considération les éléments de la physiologie sur lesquels nous avons la possibilité d'agir.

Le foie est le premier organe " sexuel ". Il a un rôle déterminant dans les ressources énergétiques de l'organisme, et donc dans l'état de forme ou de fatigue, mais aussi dans la synthèse de nombreuses hormones, dont les surrénaliennes et les sexuelles. Il faut donc le ménager, et choisir : festin érotique ou festin culinaire !

Etre en forme sexuelle, c'est aussi garder son tonus. Généralement, pour résister à la fatigue, on se jette frénétiquement sur la nourriture plutôt grasse, plutôt sucrée, on abuse des dopants naturels que sont le café et la nicotine, on se rue sur les cures multivitaminées qui promettent tonus et vitalité au fond de l'ampoule. Fatale erreur !

Après quelques jours de ce régimes, on s'étonne de mal dormir, d'être irritable, stressé et sans appétit sexuel. Pourtant, il suffit d'organiser la résistance et de ne laisser aucune brèche dans le système de défense.

En fait, le stress, la fatigue et l'inappétence sexuelle sont des signaux envoyés par le corps pour nous informer que nous sommes en panne d'assimilation des nutriments nécessaires à notre équilibre. Et, pour éviter cette panne, il faut chercher du côté de la flore intestinale, qui abrite des milliers de micro-organismes censés détecter les mauvais aliments qu'on avale et les guider vers la sortie. Certains aliments font de la résistance, c'est-à-dire qu'ils ne s'éliminent pas facilement et l'organisme, débordé, accumule les toxines indésirables.

Ces " mauvais élèves " nous pompent littéralement notre énergie. Exemple : les farines blanches (baguette, pain de mie ou fonds de tarte tout prêts), les sucreries, les mauvaises graisses, l'alcool, les sodas, les jus de fruits aromatisés.

L'alimentation moderne, bien que très largement excessive en protéines, lipides et glucides est très loin de fournir en quantité suffisante tous les micronutriments vitaux essentiels ; et nous ne sommes pas à l'abri des troubles fonctionnels, mentaux et comportementaux que les subcarences vitaminiques et minérales peuvent entraîner.

La plupart des enquêtes alimentaires montrent que nous sommes effectivement en état de carence. Des études scientifiques estiment que cinquante à soixante pour cent de la population manquerait de magnésium. Bien connu pour son rôle anti-stress, ce minéral se fixe essentiellement dans les os, les tissus mous tels que les muscles, le foie, le cœur et le plasma sanguin.

Plus généralement, ce minéral intervient dans la plupart des opérations effectuées dans l'organisme dès qu'elles entraînent une dépense d'énergie. Il participe ainsi à la synthèse des protéines, à la formation des anticorps, à la reproduction et la réparation des cellules. Il régularise le rythme cardiaque, améliore le transit intestinal et permet l'adaptation au stress. Bref, un minéral dont nous ne saurions nous passer.

L' hypophyse, appelée aussi " glande pituitaire ", installée à la base du cerveau, règle tous les fonctionnement du système hormonal, en relation directe avec les système nerveux par l'intermédiaire de l'hypothalamus.

Cette glande a besoin de l'ensemble des nutriments. Certains lui sont cependant particulièrement utiles. C'est en elle que la vitamine E est la plus concentrée, avec deux rôles très précis. Elle entre tout d'abord dans la composition des hormones qu'elle produit et elle protège ces hormones et la glande elle-même des effets de l'oxydation due à l'oxygène. Une carence en vitamine E peut engendrer un dysfonctionnement des fonctions sexuelles.

On trouve principalement la vitamine E dans les céréales, les huiles végétales, les fruits secs, les légumineuses et les légumes verts.

Le risque de déficience en zinc est aussi à surveiller. Ce minéral permet la synthèse des hormones pituitaires. Plusieurs spécialistes des oligo-éléments signalent de nombreux cas d'amélioration spectaculaire des performances sexuelles masculines après l'ajout d'un complément de zinc dans l'alimentation.

L' iode est également indispensable pour veiller au bon fonctionnement de la glande thyroïde qui a une influence directe sur le désir sexuel. On trouve principalement l'iode dans les poissons, les fruits de mer et les légumes.

Ainsi, vous allez découvrir comment certaines substances ou nutriments agissent pour renforcer votre tonus et éloigner le risque d'être atteint par les maladies que l'on associe traditionnellement à la vieillesse.

Cette protection passe par des antioxydants, qui jouent le rôle de kamikazes devant les envahisseurs ennemis. Notre organisme subit chaque jour quelques dix mille assauts des radicaux libres, véritables pilleurs de molécules saines.

Ce pillage moléculaire entraîne un nombre toujours croissant de molécules instables et des lésions de nos cellules saines. Les ravages causés par les radicaux libres sont à l'origine de troubles pouvant être graves comme le cholestérol, les maladies cardio-vasculaires, le cancer ou encore les troubles liés aux fonctions sexuelles.

Nombres de scientifiques sont d'ailleurs convaincus du rôle crucial des radicaux libres dans le vieillissement. Si rien ne vient s'y opposer, ce pillage moléculaire peut provoquer des dégâts irréparables, et c'est précisément sur ce plan qu'interviennent les antioxydants.

Chaque fois que nous mangeons un fruit, un légume ou tout autre aliment contenant des substances antioxydantes, notre sang s'enrichit d'un afflux de ces éléments complexes protecteurs : " *il est certain que les antioxydants jouent un rôle crucial en diminuant d'innombrables maladies,* souligne un professeur de biochimie. *Les preuves scientifiques sont écrasantes* ".

Aujourd'hui, il existe une multitude d'aliments qui contiennent des antioxydants puissants qui contribuent à la prévention et à la bonne santé de nos fonctions sexuelles.

Citons quelques exemples significatifs : le ginseng combat la fatigue et augmente l'endurance. L'ail, l'oignon, le poireau sont riches en soufre qui stimulent les métabolismes.

Le lait, les œufs et tous les produits riches en acides aminés essentiels assurent un fonctionnement hormonal normal. Le miel fournit à l'organisme un fructose assimilable favorable à la production d'énergie et à la formation du sperme.

Les fruits de mer, certaines viandes rouges, les levures sont très fournies en zinc. Le beurre est riche en vitamine A et en cholestérol indispensables à la formation des hormones sexuelles.

Les huiles vierges et les huiles de poissons des mers froides ont des taux importants de vitamines E et F présentes à tous les stades des fonctions sexuelles.

Le piment et les épices excitent le système nerveux et diffusent la vitamine C. Quant au chocolat, ses propriétés stimulantes sont propres à titiller les ardeurs de Vénus !

La santé est en fait le meilleur aphrodisiaque qui permet à l'amour d'engendrer le désir. Si vous êtes décidé à prendre votre santé en main, commencez d'abord par observer ce qui se passe dans votre assiette !

Le pouvoir psychique des aliments

Nous avons vu précédemment comment l'alimentation pouvait agir sur notre organisme. Mais au-delà de l'effet direct des aliments sur la santé, donc au niveau physique, existe aussi un impact sur le psychisme.

Le naturopathe Christian Brun s'est efforcé de montrer à quel point les aliments que nous ingérons peuvent influencer notre caractère, notre comportement et notre moral, tant par leur composition intrinsèque que, dans certains cas, par les additifs que l'industrie alimentaire se plaît à leur ajouter.

Dans le cas de l'alcool, du thé, du café, cela ne fait aucun doute ! Mais qu'en est-il vraiment des aliments apparemment plus anodins tels que la viande, le sucre, les fruits et les céréales ? Peuvent-ils réellement influer sur nos états nerveux, nos pensées, nos émotions, nos perceptions, notre personnalité, notre conscience ?

L' humanité a, depuis toujours tenté d'utiliser certains types d'aliments spécifiques dans des buts magiques ou spirituels, autrement dit dans l'optique d'une transformation psychique.

Pour le yogi de l'Inde, tout ce qui peut désintoxiquer (comme le lait), drainer les intestins (comme les fruits), nettoyer les reins (comme les grands verres d'eau consommés au réveil), tout ce qui est blanc ou transparent, tout ce qui est gorgé de soleil, contribue à purifier l'être et, par conséquent, à rendre l'esprit de plus en plus limpide. Inversement, les aliments d'origine souterraine (tels que les racines, carottes, navets, radis, pommes de terre...) sont impurs, car ils n'ont pas vu le soleil !

Le moine zen, lui, mange pratiquement tous les jours la même chose : soupe de riz au petit déjeuner ; riz complet et légumes à midi ; repas léger composé de céréales et de crudités, le soir. Pour lui, la céréale apporte indubitablement le calme, un calme plein d'une énergie soutenue.

Si les fruits du yogi stimulaient l'éveil de son mental et le rendaient plus réceptif, les céréales complètes du moine zen lui apportent une certaine sérénité et renforcent son pouvoir de pénétration dans l'intimité secrète des phénomènes.

Les régimes diététiques occidentaux sont peut-être plus proches de l'approche yogique que d'une conception " zen macrobiotique " de l'alimentation. Ils reposent généralement sur des bases extrêmement simples et saines. : réduire les produits animaux et les aliments d'origine industrielle, boire un demi-litre d'eau de source par jour, choisir des huiles végétales de première pression, consommer des fruits en quantité relativement importante, consommer du pain complet, des céréales complètes, utiliser les compléments nutritionnels, minéraux, vitamines et oligo-éléments, pour contrebalancer les carences vertigineuses engendrées par le monde moderne.

En fait, nos méthodes diététiques s'attachent, elles aussi, à nous purifier puis à nous revitaliser à l'aide de nutriments spécifiques qui nous manquent.

Les sages anciens disposaient de connaissances solides concernant le rapport entre l'aliment et son effet sur l'esprit. Aujourd'hui encore, de nombreux médecins et diététiciens s'inspirent de ces traditions antiques, et armés de connaissances scientifiques modernes, attirent notamment notre attention sur l'importance des glucides, du magnésium, du zinc et des neurotransmetteurs.

Ces derniers permettent aux cellules réceptrices d'envoyer des messages au cerveau. C'est la cas de l'adrénaline qui prépare au stress, la noradrénaline qui stimule le corps et augmente la vigilance ou encore la dopamine qui agit sur l'humeur.

Les scientifiques ont déjà identifié plus de soixante neurotransmetteurs et l'on imagine que, dans un proche avenir, on en découvrira d'autres !

Voici quelques exemples où l'alimentation et ses trésors cachés peuvent apporter un mieux-être et vous permettre de jouer sur le clavier de vos émotions ou de vos états d'âme suivant les circonstances de votre vie.

La dépression ou **l'état dépressif**, troubles malheureux si courants de nos jours, sont dus non seulement au stress et aux conditions de vie plus ou moins dures, mais aussi parfois à une mauvaise alimentation.

Si vous en souffrez, il faudra donner priorité aux aliments riches en vitamines B3 (céréales complètes, œufs, germes de céréales et de légumineuses, légumes verts, fruits secs), B9 (à peu près les mêmes et surtout brocolis, épinard, fenouil) et en sélénium (noix, poissons, fruits de mer).

Si c'est plutôt **d'anxiété** dont vous souffrez, augmentez votre ration d'aliments sucrés et de sucres lents. Ce n'est pas un hasard si, quand ça va mal, nombre de gens se précipitent sur le chocolat qui s'est fait une belle réputation d'anxiolytique !

Les **hyper-excités** ou les **insomniaques** ont intérêt à consommer des filets de harengs pomme à l'huile. C'est un plat bourré de lithium, comme l'œuf, la carotte, la betterave, le poisson en général et la pomme de terre.

Si l'on est **amoureux**, il est bon de consommer de l'agneau, du céleri, des fruits de mer, du fromage, des noix, des herbes aromatiques, des épices et du chocolat pour ne citer qu'eux.

La viande d'agneau contient des substances comme le manganèse, qui active la testostérone (hormone sexuelle). La testostérone rend plus sûr de soi, donne du courage et gère la tension sexuelle.

Qu'il s'agisse du céleri blanc ou vert, ce légume est une véritable panacée, débordante de substances bénéfiques pour la forme physique et intellectuelle. Il combat les acides excédentaires, souvent responsables des faiblesses nerveuses et des dépressions. Enfin, il a une action stimulante sur la libido.

Les fruits de mer constituent une source naturelle de zinc et de cuivre. La lécithine contenue dans le poisson facilite le passage des informations entre les cellules nerveuses. Le zinc est de plus un dopant de la fertilité.

Le fromage produit des acides aminés stimulants ayant un effet bénéfique sur la bonne humeur, tels que la tyrosine, la dopamine et la noradrénaline. La vitamine A et le calcium sont des régénérateurs nerveux et ont un effet apaisant. Le fer, quant à lui, transporte l'oxygène, qui nous garde l'esprit pétillant. Enfin, l'histamine aide à maintenir la vie amoureuse sur ses rails.

Les noix, noisettes et amandes accélèrent la production d'endorphines qui libèrent des sentiments de bonheur. Les herbes, comme le persil, contiennent des substances semblables à l'amphétamine qui a un effet aphrodisiaque.

Les épices comme le safran stimulent la sensibilité, la cannelle excite les glandes sexuelles et rend gai, la noix de muscade combat l'impuissance grâce à ses substances qui entraînent des effets semblables à ceux de la mescaline et des amphétamines à certaines doses.

Enfin, le chocolat ne rend pas seulement heureux. Grâce à la substance érotique qu'est la phénylethylamine, il augmente la sensualité.

Aujourd'hui, l'industrie agro-alimentaire s'appuie sur la chimie. Colorants, conservateurs et arômes artificiels ne sont les seuls à être ajoutés aux produits de base. Il existe toute une " cuisine " chimique utilisant des dizaines de substances, dont on ne connaît pas toujours parfaitement le degré de toxicité, et certainement pas celui de leur association dans le bol alimentaire.

Christian Brun rappelle, par exemple, que certains colorants alimentaires, certains papiers d'emballage ainsi que la pellicule d'insecticide qui recouvre les fruits contiennent de l'arsenic. Il s'agit évidemment d'un poison ; si les doses ne sont pas mortelles, elles contribuent tout de même à perturber l'équilibre nerveux et psychique.

L'arsenic, en effet, détruit le principal composant des vitamines du groupe B. Au fil des jours, s'installent la dépression, la fatigue, l'irritabilité. Un apport en vitamines B et le rejet des éléments toxiques peut suffire pour rétablir la situation.

Cette diététique du cerveau n'est plus à prouver. Si l'on veut améliorer sa vie amoureuse, reprendre confiance en soi, doper son moral et sa bonne humeur, il suffit de puiser l'énergie et la joie de vivre dans son assiette !

Hippocrate déclara bien en son temps : " *Que l'aliment soit ton premier remède* " !

L'ALCHIMIE AMOUREUSE : UN ÉQUILIBRE RETROUVÉ GRÂCE À L'ALIMENTATION

EN PLEINE FORME SEXUELLE À TOUT ÂGE

En panne de désir, d'inspiration, de tonus, de résistance ? L'alimentation peut vous apporter des remèdes énergiques et puissants contre ces petites et grandes défaillances fréquentes dans les rapports sexuels.

Sachez qu'il n'y pas de " recette miracle ". Juste une simple idée : votre santé dépend en grande partie de ce que vous mangez.

Vous trouverez dans ce chapitre tous les éléments vous permettant de choisir vos meilleurs alliés dans votre lutte contre les agressions subies par le corps et l'esprit.

Il ne s'agit pas ici de diaboliser vos habitudes alimentaires, mais d'éviter, par des moyens simples et efficaces, une dérive à laquelle poussent le rythme de vie moderne, la sédentarité et l'abondance de l'offre alimentaire sans réelle valeur nutritionnelle.

Des règles de base vous seront présentées pour vous permettre tout simplement, de mieux choisir vos aliments, de mieux consommer en fonction de vos goûts et habitudes alimentaires, en adoptant une autre façon de cuisiner.

Enfin, vous découvrirez, grâce à des tableaux synthétiques et simples d'accès, quels sont les effets presque " magiques " des substances cachées dans notre alimentation qui garantissent énergie et tonus.

A ces aliments susceptibles d'améliorer notre état physique et psychique, n'oubliez pas d'ajouter la joie de vivre. Le rire, la gaieté, l'amour sont eux aussi de véritables médicaments naturels !

LES DIX RÈGLES D'OR POUR UNE SEXUALITÉ ÉPANOUIE

Nous avons vu, à travers le chapitre concernant les ennemis du désir, que trois facteurs importants ont des répercutions sur notre sexualité : la qualité de la relation, le stress et la qualité de l'hygiène de vie. Notre mode de vie est effectivement responsable de quasiment quatre-vingt pour cent de nos troubles sexuels !

Voyons pour chacun de ces trois facteurs, quelles sont les règles essentielles à respecter. Evidemment, les conseils liés directement à notre mode de vie alimentaire seront particulièrement développés, comparativement aux autres, puisqu'il s'agit de notre sujet.

Entretenir le désir : les règles qui marchent

♥ INVENTER de nouveaux rituels. Le rituel est un message amoureux et sécurisant pour le couple. La préparation des repas, par exemple, qui renforcent la cohésion et l'entente du couple par le partage de la nourriture. Ces petits rituels enrichissent et renforcent le couple, ce qui lui permet de grandir. Se renouveler, c'est vital pour le couple. Et tout peut devenir un rituel si on a envie de le faire ensemble. Cela prend alors un sens pour le couple.

♥ ENTRETENIR sa part de mystère, ne pas devenir trop prévisible, donner l'impression de ne pouvoir être ou possédé intégralement. Il faut toujours que l'autre soit en position de se poser des questions. L'être humain est désirable pour ce qu'il est mais aussi avec sa part d'illusion et d'inconnu.

♥ ACCEPTER la routine qui a mauvaise réputation. On l'associe volontiers à l'image du vieux couple qui n'a plus rien à se dire.

Cependant, certains spécialistes des questions conjugales s'accordent à dire que la routine n'est pas forcément un boulet pour le couple et que c'est elle qui lui permet de durer, à condition de s'en faire une alliée. Accepter cette routine, c'est accepter de former un vrai couple qui dépasse l'image idéale qu'on en donne dans les romans Harlequins...

♥ EVITER de rester coller tout le temps à l'autre, se réserver du temps rien qu'à soi, sans que l'autre sache forcément tout ce que l'on fait. Un couple qui fait toujours tout ensemble est voué à l'asphyxie, chacun doit avoir son espace vital qui lui permet de s'épanouir, de s'enrichir de son côté pour venir revivifier ensuite le couple de nouveaux centres d'intérêt.

♥ S'ENRICHIR, et rester toujours curieux de toutes choses, et surtout de son partenaire.

♥ DIRE bye-bye aux tabous. Tradition judéo-chrétienne oblige, l'éducation de la femme est faite de tabous et d'interdits sexuels, même s'ils restent souvent cachés dans son inconscient. Et pourtant, pour atteindre le sommet de l'extase, il faut savoir se débarrasser de tout sentiment de culpabilité. Répétez-vous mentalement dix fois par jour : le sexe n'est ni sale, ni honteux !

♥ LAISSER parler votre corps. Trop souvent, l'angoisse du bourrelet (surtout chez les femmes) empêche de s'abandonner complètement aux caresses. Généralement, les femmes qui pratiquent régulièrement une activité sportive tirent davantage fierté de leur corps et oublient plus facilement leurs complexes dans les bras de leurs partenaires.

♥ AVOUER ses envies. Le sexe sans parole, c'est comme un dîner en tête-à-tête où l'on entend les mouches voler. Pour que le désir perdure, il faut en effet exprimer ses désirs et ses envies. Le sexe n'est pas inné, il s'enrichit grâce à la pratique, à l'intimité et à la complicité.

Les 10 commandements anti-stress

♥ SOYEZ vous-même et vivez chaque fois que possible dans un environnement humain que vous appréciez en cherchant à ne retenir que le bon côté des gens et des événements, sans vous préoccuper des mauvais.

♥ EXPRIMEZ toujours le fond de votre pensée ou ce que vous ressentez et ne soyez jamais en contradiction avec vous-même.

♥ SOYEZ réaliste. Essayez de ne pas vous surmener et n'hésitez pas à alléger un emploi du temps trop chargé ; ne vous sentez pas coupable, votre santé en dépend.

♥ PARLEZ de vos problèmes. Votre conjoint, un ami ou un proche peuvent vous aider à trouver une solution. Même s'il n'y parviennent pas, le simple fait d'en parler est positif.

♥ ATTAQUEZ vos problèmes de front et adoptez, après réflexion, ce qui vous semble être la bonne solution.

♥ SACHEZ dire non aux propositions qui ne vous conviennent pas. Disons-le une bonne fois pour toute, nous ne sommes pas là pour plaire à tout le monde et tant pis pour ceux qui ne sont pas contents !

♥ GLISSEZ des plages dans votre emploi du temps journalier, hebdomadaire, mensuel et annuel, vous permettant de vous relaxer et de faire ce que vous avez envie de faire sans aucune contrainte et en toute tranquillité.

♥ ACCORDEZ-VOUS régulièrement des loisirs en ayant une activité physique adaptée à vos goûts et à vos possibilités.

♥ APPRENEZ à gérer le stress ensemble. Sachez par exemple que le partage équitable des tâches ménagères (quand les deux travaillent) est un préalable absolu à l'épanouissement sexuel.

♥ PENSEZ POSITIF, apprenez à chasser les idées noires et allez de l'avant !

Mode de vie alimentaire : 10 règles clés

❤ VARIEZ LES ALIMENTS

L'équilibre des repas s'obtient grâce à la variété : chaque groupe d'aliments doit figurer au menu (une ou plusieurs fois par jour) pour permettre la couverture des besoins en lipides, protides, glucides, fibres, vitamines et minéraux.

Enfin, la variété des aliments permet de rompre la monotonie des repas. Variété rime avec gaieté !

A RETENIR
Pain et féculents (pommes de terre, pâtes, riz, céréales), légumes secs

- Ils devraient être consommés régulièrement grâce à leur apport en vitamines B et en magnésium. Pauvres en graisse, ils doivent être présents à chaque repas en quantité suffisante, en les privilégiant particulièrement le soir.
- Les légumes secs (lentilles) et les céréales sont riches en fibres et facilitent le transit. Indispensables pour se sentir en forme et nécessaires à l'activité cérébrale et physique.

Légumes verts

- En consommer à tous les repas.
- User et abuser des herbes aromatiques comme le basilic, le persil, la coriandre qui ont des propriétés toniques sur l'organisme. Sans oublier les épices qui excitent le système nerveux et diffusent de la vitamine C.

Fruits

- Consommez au moins trois fruits par jour en les diversifiant : pomme, raisin, banane, cerises...tous apportent des vitamines et des antioxydants indispensables, plus des fibres.

Laitage
- Ne pas les exclure de l'alimentation : on choisira alors des laitages totalement ou partiellement écrémés, à privilégier à tous les repas chaque fois que possible.

Viandes, charcuteries
- Produits riches en graisses cachées mais excellente source de protéines.
- Privilégier les viandes maigres (blanches, volailles).
- Attention au mode de cuisson : évitez d'ajouter des matières grasses d'origine animale (beurre, crème).
- Attention aux sauces qui provoquent somnolences et ballonnements !

Poissons
- En manger au moins deux fois par semaine.
- Consommez aussi des fruits de mer qui contiennent des quantités d'iodes importantes indispensables au bon fonctionnement de la thyroïde.

Œufs
- Excellente source de protéines pour se sentir en forme.
- Riches en acides aminés essentiels, ils assurent un fonctionnement hormonal normal.

Beurre, crème, fromages gras
- Produits riches en graisses animales et en cholestérol qui fatiguent l'organisme.
- Egalement riches en calories, il est donc important de les surveiller de près.

Huiles
- Les huiles végétales et vierges et les huiles de poissons des

mers froides ont des taux importants de vitamines F et E présentes à tous les stades des fonctions sexuelles.

- Pour la vitamine D et les acides gras oméga 3 et oméga 6 bons pour le cœur, pensez au foie de morue en boîte, excellent en canapé pour l'apéritif !

Produits sucrés, boissons sucrées

- Attention, ces produits contiennent souvent des additifs qui fatiguent l'organisme !
- Une nette préférence pour le chocolat et le miel qui ont de réelles propriétés stimulantes et tonifiantes pour l'organisme.

Alcool

- A limiter : deux à trois verres par jour sinon bonjour les dégâts sur votre libido !
- Une nette préférence pour le vin et le champagne qui ont des propriétés aphrodisiaques indéniables !

♥ MANGEZ MOINS DE MATIERES GRASSES

Ces " mauvais élèves " nous font peut-être plaisir, mais nous pompent littéralement notre énergie. Certaines graisses sont à privilégier, d'autres à surveiller.

A RETENIR

- Surveiller de près les acides gras saturés : contenus dans le beurre, la crème fraîche, le lard, les margarines dures en paquet, mais aussi de façon moins visible dans les fromages (de type gruyères et bleus), les viandes grasses, les charcuteries grasses, les viennoiseries, les pâtisseries, les plats cuisinés épuisent trop souvent notre organisme.
- Privilégier les acides gras insaturés : l'acide oléique, un mono insaturé, est présent en quantité dans les huiles d'olive, de

colza et d'arachide, mais aussi dans les graisses d'oie et de canard. De façon invisible, on les trouve dans les olives et les avocats. Ils permettent de lutter contre le vieillissement des cellules et de renforcer nos résistances face au stress et autres agressions extérieures.

- Ne cuisinez pas au beurre mais toujours à l'huile.
- Méfiez-vous des chips, quiches, pizzas, nems, fast food, une tentation pour les repas vite pris et " coup de barre " assuré !
- Diminuer la quantité de sauce dans les plats et les salades. Savoir les adapter et les réaliser selon des recettes légères, à base de yaourt, de fines herbes et d'épices.
- Lisez soigneusement les étiquettes pour connaître la quantité et le type de matières grasses saturées ou insaturées contenus dans les plats cuisinés.

♥ MANGEZ DES FRUITS ET DES LEGUMES A TOUS LES REPAS

En effet, première règle d'or : prévoir systématiquement des légumes et des fruits dans les menus, tels que céleri, choux, tomates, oranges, pommes...

L' idéal serait de prendre régulièrement un fruit le matin au petit déjeuner pour s'assurer un bon dynamisme pour la journée, et systématiquement, un plat de légumes cuits à midi ou le soir avec une entrée de crudités (ou un potage) à l'un des deux repas principaux et un ou deux fruits pour le dessert ou en collation.

A RETENIR

- Pour préserver votre vitalité, penser à enrichir les salades et les crudités par des jus de citrons, avec herbes aromatiques, ail et oignon.
- Les fruits frais doivent être pris une fois le petit déjeuner digéré pour ne pas contrecarrer l'absorption du calcium des

laitages. Ils compensent alors un véritable coup de pompe grâce au coup de fouet que procure la combinaison du sucre et de la vitamine C des fruits.

- En collation, chocolat + fruits constitue un cocktail fer-magnésium et vitamines C particulièrement revigorant !
- Choisir des fruits et des légumes frais et sains, sans vouloir court-circuiter les saisons (ils sont alors plus riches en vita-mines et en micro nutriments protecteurs).

❤ **MANGEZ DU POISSON DEUX A TROIS FOIS PAR SEMAINE**

C'est sans doute la meilleure protéine animale que nous puissions consommer, grâce à ces lipides marins. Sachez que les acides gras oméga 3 du poisson protègent nos artères et nos cellules nerveuses !

A RETENIR
- Tous les types de poissons contiennent des omégas 3 : on peut citer le saumon, le maquereau, la truite, le thon et le poisson blanc. Sachez aussi que le meilleur moyen d'absor-ber davantage d'oméga 3 est d'ouvrir une boîte de thon, de sardines ou de foie de morue, tout simplement...
- N'oubliez pas de varier les espèces et de consommer aussi des fruits de mer, riches en substances protectrices des fonc-tions sexuelles.

❤ **DU PAIN A TOUS LES REPAS...SANS OUBLIER LES FECULENTS ET LES CEREALES**

Les céréales sont riches en vitamines B1, dont la consommation améliorerait la mémoire et l'humeur ; en vitamines B3, qui aident à réguler le taux de cholestérol sanguin ; en vitamines B5, qui sti-mulent le système immunitaire et la régénération des tissus.

Riches également en fibres, ces aliments permettent de profiter pleinement d'une alimentation équilibrée. Ces fibres alimentaires ont un rôle particulièrement important : régulation du transit, développement de la flore intestinale utile...

- Choisissez de préférence les pains complets à base de céréales biologiques et abandonnez votre baguette à la farine blanche qui ne vous apportera aucun nutriment actif. Le sésame, par la lécithine et les protéines, ainsi que les oligo-éléments qu'il contient est un facteur de bonne santé hormonale.
- Les céréales complètes contiennent du zinc qui permet la synthèse des hormones pituitaires et du magnésium, ce qui est efficace en cas de stress.
- N'hésitez pas à enrichir certains de vos plats avec de la levure ou des germes de blé qui contiennent de la vitamine E, puissant antioxydant qui protège les fonctions sexuelles.

♥ SALEZ MODEREMMENT

Nos apports en sodium sont largement excédentaires par rapport à nos besoins. Nous prenons la fâcheuse habitude de resaler systématiquement dans notre assiette des mets dans lesquels se dissimulent du sel : plats préparés, soupes en sachet, conserves...

Attention au sel caché. Soyez vigilant et abstenez-vous de resaler vos plats systématiquement !

A RETENIR

- Le sel en excès est très nocif pour nos cellules (accidents vasculaires, cérébraux).
- Savoir mettre en valeur les saveurs en jouant sur les condiments, les herbes aromatiques et les épices qui sont les meilleurs aphrodisiaques naturels.

❤ BUVEZ DE L'EAU TOUT AU LONG DE LA JOURNEE... TONUS ASSURE !

Antifatigue à double titre : l'eau draine les toxines qui encrassent les reins et le foie. Elle hydrate les cartilages intervertébraux et leur permet de mieux absorber les vibrations, réduisant ainsi le mal de dos !

A RETENIR

- Buvez chaque jour au minimum un litre et demi d'eau.
- Prenez l'habitude de boire deux verres d'eau au lever et avant de prendre votre petit déjeuner. Ce petit réflexe dynamise à merveille...
- Prenez l'habitude de boire un verre d'eau pour chaque prise de boisson alcoolisée ou contenant de la caféine.
- Enfin, buvez avant de faire l'amour : l'eau en augmentant la pression de la vessie, permettrait de provoquer des orgasmes plus intenses !

❤ MODEREZ VOTRE CONSOMMATION D'ALCOOL A 3 VERRES MAXIMUM

De nombreuses études ont montré que les boissons alcoolisées étaient associées à une diminution du risque cardio-vasculaire en cas de consommation modérée par rapport au risque chez les abstinents. A plus forte dose, le risque de mortalité globale et de mortalité vasculaire augmente.

A RETENIR

- Attention surtout " aux apéros " qui restent des produits industriels. Préférez un bon verre de vin ou de champagne qui sont les meilleurs élixirs d'amour.
- Le vin rouge contient des substances antioxydantes comme les flavonoïdes qui protègent de nombreuses maladies. Sa consommation serait donc excellente pour la santé !

❤ EVITEZ LES GRIGNOTAGES ET MANGEZ A LA BONNE HEURE

L'essentiel pour être en forme est de consommer les bons aliments au bon moment. Manger gras le matin, dense à midi, sucré au goûter et léger le soir. Les grignotages sont à bannir et n'apportent généralement rien sur le plan nutritionnel.

A RETENIR

- C'est au lever que l'organisme utilise les graisses comme énergie, alors qu'il les stocke dans la journée. Beurre et fromage sont tout indiqués : le premier, riche en vitamines A est indispensable à la formation des hormones sexuelles, le second apporte calcium et protéines pour préserver la vitalité.
- Mangez des agrumes en fin de matinée. Vous profiterez au mieux de leurs vitamines.
- C'est au déjeuner que l'organisme a besoin d'ajouter au ciment (les graisses) des briques (les protéines) pour se construire. L'idéal est un repas à base de viande, pour le plein de fer, assorti d'une part de féculents ou de légumes.
- Le goûter est un repas clé où l'on peut déguster des aliments plaisir, notamment ceux qui associent sucres, graisses végétales et magnésium (fruits secs, chocolat). Le pic d'insuline est à son maximum à 17 heures, ce qui permet de mieux assimiler les sucres rapides.
- Le soir, les sécrétions digestives sont au plus bas. Il faut donc manger léger. Reminéralisante, la soupe de légumes est recommandée. A compléter avec un peu de poisson gras pour l'apport en protéines et en acides gras insaturés, qui permet le renouvellement cellulaire nocturne.

❤ MANGEZ DANS LA CONVIVIALITE ET AVEC DU PLAISIR !

Manger agréablement est une nécessité psychologique et sociale. En se nourrissant, l'homme n'assouvit pas seulement sa faim, il cherche aussi à satisfaire son besoin de chaleur humaine !

On ne badine pas avec la table : il nous faut aussi du beau et du goût qui réjouissent nos papilles !

Le plaisir esthétique et biologique est physiologiquement indispensable pour assurer la pérennité et le bon fonctionnement du corps.

Le repas, en tant que rituel social ou amoureux, se doit d'être aussi un moment de convivialité et de partage : un plaisir qu'il ne faut surtout pas se refuser.

Être gourmand, c'est savoir aimer !

A RETENIR

- Attention au régime trop strict ! Le jeûne réduit le désir, en diminuant le fonctionnement du système nerveux parasympathique et de la glande thyroïde.
- Prenez du plaisir à faire votre marché.
- Préférez la qualité à la quantité.
- Mangez au calme, dans une ambiance agréable et détendue. Evitez de regarder la télévision en mangeant, c'est la meilleure façon de ne pas communiquer avec votre cher et tendre !
- Evitez la routine à table : elle " tue l'amour ". Faites-vous plaisir de temps en temps en préparant un repas de fête pour susciter la surprise. Elle constitue l'un des meilleurs aphrodisiaques !
- Soignez de temps à autre la présentation de votre table et de vos plats. Faites preuve d'imagination dans la décoration car le plaisir esthétique est physiologiquement indispensable pour assurer la pérennité et le bon fonctionnement du corps.

• Privilégiez les aliments qui ont fait leur preuve, ne restez pas enfermé chez vous lorsque le soleil brille, et ne vous privez surtout pas d'un verre de vin rouge au cours du repas : c'est aussi bon pour les papilles que pour le moral !

LES TRÉSORS CACHÉS DE NOTRE ALIMENTATION

Vous l'avez compris, une sexualité épanouie est une autre résultante de la santé globale de l'individu. La santé est en fait le meilleur aphrodisiaque qui permet à l'amour d'engendrer le désir.

Dans ce chapitre, vous allez découvrir comment certaines substances ou nutriments jouent un rôle prépondérant dans l'équilibre et la protection de nos fonctions sexuelles.

Vitamines de l'amour, oligo-éléments primordiaux pour la libido, huiles essentielles, plantes aphrodisiaques, cures vitaminées....Vous trouverez maintes informations sur ces substances nutritives qui ont pour avantage de combler bien couvent le fossé existant entre nourriture et médicament.

Attention ! Aucune de ces substances ne constitue un " dopage ". Elles vous permettront simplement de suivre les élans de votre cœur et vous procureront la vigueur nécessaire à tout moment, en sachant toutefois que les meilleures performances et les plus grandes satisfactions sont obtenues quand les partenaires éprouvent, surtout et avant tout, un sentiment amoureux partagé.

Les vitamines de l'amour

Toutes les études concordent : nos apports en vitamines sont inférieurs aux " apports nutritionnels conseillés ". Elles révèlent par exemple que trente-huit pour cent des femmes ont des apports en vitamines E inférieurs au deux tiers des apports nutritionnels conseillés, trente-six pour cent pour la B6, vingt-sept pour cent pour la vitamine C.

Situation paradoxale alors que notre alimentation s'est améliorée. C'est précisément là où le bas blesse !

Directeur de recherche à l'INSERM, le docteur Serge Heckberg l'explique : " *Plusieurs phénomènes s'ajoutent. Nous mangeons moins qu'au début du siècle : mille huit cent calories par jour contre trois mille ; nombre d'aliments sont transformés ; enfin, nous consommons peu de fruits et de légumes qui sont pourtant d'excellentes sources de vitamines* ".

Les vitamines jouent un rôle vital dans l'organisme et contribuent en grande partie à une alimentation équilibrée. On appelle hypovitaminoses, les carences (trop fréquentes) en vitamines qui ont des conséquences catastrophiques sur le métabolisme : fatigue générale, lassitude, maladies de toute sorte, vieillissement prématuré, idées noires, baisse du désir...

Toutes les vitamines sont évidemment indispensables dans le cadre du fonctionnement normal de l'ensemble des organes du corps, donc du cerveau. Toutefois, certaines d'entre elles participent très étroitement au bon fonctionnement de la sexualité.

♥ **La vitamine E** préside au développement des cellules sexuelles et possède un important effet antioxydant, c'est-à-dire anti-vieillissement. Rien d'étonnant, donc, à ce qu'elle soit prescrite contre la stérilité masculine.

❤ **La vitamine B1** s'adresse surtout aux personnes stressées dont les pannes sexuelles sont plutôt d'ordre nerveux.

❤ **La vitamine B3**, en stimulant la sécrétion d'histamine, entraîne la dilatation des vaisseaux et aide ainsi à l'érection.

❤ **La vitamine B6** stimule la synthèse de la dopamine, le principal neuromédiateur du plaisir sexuel.

L'action des vitamines

VITAMINE E

Rôle : elle protège contre le vieillissement – en particulier cérébral – et aidée par le sélénium, elle assure la fertilité. Nutriment de l'hypophyse, de la thyroïde, elle intervient dans la synthèse hormonale. C'est aussi un puissant antioxydant qui prévient le vieillissement cellulaire prématuré et qui est bénéfique pour la circulation sanguine.

Signes de la carence : perturbation de l'assimilation des acides gras essentiels, troubles de la vision, atrophie musculaire, faiblesse immunitaire, excès de cholestérol, fatigue permanente, trouble de fécondité et de la fertilité.

Principales sources : noix, germe de blé, graine de tournesol, soja, huile d'olive et huile de sésame, poireau, épinards, brocoli, tomate, foie.

VITAMINE B1

Rôle : catalyseur biologique des réactions fournissant l'énergie à l'organisme. Vitamine du système nerveux. Elle est aussi impliquée dans le fonctionnement des surrénales.

Signes de la carence : lassitude, ralentissement de l'intelligence, troubles de la mémoire, irritabilité, état de fatigue, dépression, inappétence, baisse de la libido.

Principales sources : levure de bière, germe de blé, légumes secs (pois, haricots, lentilles), abats (foie, rognons), noix, noisette, amande, céréales complètes et pomme de terre.

VITAMINE B3

Rôle : permet à l'organisme de fabriquer de l'énergie. Participe au transport de l'oxygène vers les cellules et à la synthèse de certaines hormones. Participe au fonctionnement des surrénales et à la synthèse hormonale féminine. Enfin, elle participe à l'équilibre psychologique.

Signes de la carence : troubles mentaux, cholestérol, hyper sensibilité de la peau, tristesse, paresse, perte de poids, céphalées, fluctuations de l'humeur, défaillance sexuelle.

Principales sources : germe de blé, levure de bière, amande, abricot sec, datte, pois, lentilles, pomme de terre, avocat, pêche, abricot, banane, volaille.

VITAMINE B5

Rôle : participe au fonctionnement de l'hypophyse et des surrénales. Accroît la résistance au stress. Stimule la libido et le tonus général.

Signes de la carence : fatigue et aucune résistance au stress, irritabilité, insomnies, sensations de fatigue, inappétence sexuelle.

Principales sources : céréales germées, levure, jaune d'œuf, champignons, légumineuses, saumon, amande, noix, noisette, orange.

VITAMINE B6

Rôle : intervient dans de nombreux mécanismes vitaux et participe à la synthèse des chromosomes. Favorise la production des neurotransmetteurs et agit sur les états dépressifs.

Signes de la carence : désordres nerveux, problèmes liées à la prise régulière de la pilule, insomnies, convulsions, anémie, dysfonctionnement des glandes sexuelles.

Principales sources : germes de blé, levure de bière, poisson, saumon, fèves de soja, haricots, épinards, chou, tomates, banane, lait, raisin, œuf.

VITAMINE B9

Rôle : permet aux organes reproducteurs de répondre aux sollicitations des hormones féminines. Participe au fonctionnement des ovaires et à la synthèse hormonale masculine.

Signes de la carence : fatigue nerveuse, troubles du comportement, anémie, libido triste.

Principales sources : épinard, germes de blé, levure, légumes verts, œuf, légumineuses, carotte, endive.

VITAMINE C

Rôle : renforce le système immunitaire et joue un rôle important lors de la gestion du stress et du contrôle des neurotransmetteurs.

Signes de la carence : moindre résistance à tous type d'agression (infection ou stress), fatigue, anémie.

Principales sources : agrumes, légumes verts, poivrons, kiwi, tomate, fraise.

Des oligo-éléments et des minéraux pour se surpasser

Parmi ces micronutriments, c'est le magnésium qui se trouve en première ligne. Ce dernier intervient de façon essentielle dans l'élaboration de l'énergie par les cellules. " *Le magnésium est " surutilisé " quand les besoins d'énergie augmentent car il participe aux processus métaboliques de fabrication de l'énergie* ", explique le docteur Curtay.

Et : " *Le manque de magnésium est une des raisons majeures de la perte de tonus. Il en résulte une fatigue chronique, des coups de pompe, de l'anxiété et une difficulté à réparer les dégâts provoqués par les radicaux libres* ".

Actuellement, dix-huit pour cent des hommes et vingt-trois pour cent des femmes ont des apports inférieurs aux deux tiers des apports nutritionnels conseillés.

Aussi, nombre de fatigues nerveuses ne sont que l'expression d'une carence en fer. En France, une femme sur quatre est directement concernée !

En matière de sexualité, les substances vedettes sont le magnésium, le zinc, l'iode, le fer et le sélénium.

❤ Le zinc est présent dans les organes sexuels mâles, et sa carence entraîne toujours d'importantes répercussions sur la libido.

❤ Pour stimuler leurs sécrétions ovariennes, les femmes ont besoin de fer, de calcium et de magnésium.

❤ Le sélénium est fréquemment prescrit dans les cas d'impuissance des jeunes hommes asthéniques. La libido est conservée, le désir est souvent augmenté, mais l'érection est insuffisante et l'éjaculation précoce. Une fatigue intense suit les rapports sexuels, la perte de mémoire est constante avec, durant le sommeil, des rêves concernant des événements oubliés le jour.

L'action du sélénium préserve du vieillissement en général, par son action antiradicaux libres, efficace chez l'homme et la femme.

❤ Enfin, ceux qui passent leurs vacances au bord de la mer connaissent bien l'effet de ce climat plus ou moins aphrodisiaque, dû en grande partie à l'iode, l'oligo-élément qui agit sur le système hormonal.

Nous étudierons ci-dessous les sels minéraux et les oligo-éléments les plus fréquemment en cause dans les phénomènes de carences, ceux qu'il faut rechercher dans les aliments, et dont il est bon de s'assurer un complément régulier.

L'action des oligo-éléments et des minéraux

MAGNESIUM

Rôle : c'est le minéral le plus abondant dans l'organisme. c'est aussi le plus important car il participe à tous les grands métabolismes. Il s'intègre au processus de défense de l'organisme, stimule la croissance et l'immunité et surtout agit sur la régulation générale du système nerveux et du stress. Ses propriétés relaxantes sur les fonctions nerveuses et musculaires ont également été démontrées. Le magnésium est considéré comme un excellent anti-fatigue et un tonique général de l'organisme.

Signes de la carence : manifestations spasmophiles, nervosisme et irritabilité, tachycardie, troubles du sommeil.

Principales sources : céréales complètes, légumes secs, légumes verts, noix, noisettes, chocolat.

ZINC

Rôle : présent dans les organes sexuels mâles, stimule la spermatogenèse, permet la synthèse des hormones pituitaires. Plusieurs spécialistes signalent de nombreux cas d'amélioration spectaculaire des performances sexuelles masculines après l'ajout d'un complément de zinc dans l'alimentation.

Signes de la carence : baisse de la libido, fatigue chronique, stress, réduction de l'appréciation du goût.

Principales sources : viandes, volailles, huîtres, œufs, lait, céréales complètes, légumes secs, légumes verts, champignon.

SELENIUM

Rôle : participe à l'équilibre des fonctions sexuelles via les surrénales. Combat l'impuissance masculine et permet de renforcer nos défenses immunitaires.

Signes de la carence : impuissance masculine, éjaculation précoce, fatigue intense, perte de mémoire.

Principales sources : viandes, abats, poissons, céréales (graine de blé, maïs, seigle), levure de bière, champignon, ail.

FER

Rôle : permet à l'oxygène de parvenir au cerveau d'où son rôle de fortifiant pour l'organisme. Le fer est également essentiel principalement dans le métabolisme féminin.

Signes de la carence : apathie, somnolence, irritabilité, diminution d'attention, incapacité à se concentrer, perte de mémoire, baisse des performances physiques, inappétence sexuelle.

Principales sources : viandes, abats (foie), jaune d'œuf, épinard, persil, légumineuses.

IODE

Rôle : elle joue un rôle important dans l'apport d'énergie. Elle brûle les graisses en excès et accroît les facultés mentales. Enfin, elle est le principal constituant de l'hormone thyroïdienne qui participe au bon fonctionnement des glandes sexuelles.

Signes de la carence : capacités sexuelles réduites, fatigue, léthargie.

Principales sources : fruits de mer, poissons, algues marines, haricot vert, oignon.

Les cures oligo-vitaminées : comment s'y retrouver ?

Les raisons qui conduisent à acheter un complément alimentaire ne manquent pas et leur tendance à fleurir allègrement sur les rayons nous laisse parfois perplexe.

Comment discerner les compléments qui aident vraiment, d'un produit sans réel impact ?

En préalable, il faut préciser la fonction d'un complément. Comme son nom l'indique, celui-ci arrive en complément d'une alimentation équilibrée et d'une bonne hygiène de vie. Il ne se substitue ni à l'une ni à l'autre. Pas plus qu'à un médicament.

Avec les compléments, nous sommes dans le cadre des dosages alimentaires, pas médicaux. Ce sont des compléments " alimentaires " qui interviennent sur un terrain de bonne santé générale, en réponse à des demandes de confort plutôt orientées vers la phytothérapie, ou des attentes nutritionnelles de vitamines et de minéraux.

Dans ce sens, pour qu'un complément aide " vraiment ", il faut faire attention à choisir des produits raisonnablement dosés, ne pas tomber dans les excès de certaines marques, et, une fois ses principes actifs clairement identifiés sur l'emballage, rechercher une efficacité testée.

Voici quelques règles simples à respecter :

♥ *Ouvrir l'œil !*

Pour se frayer un chemin dans la jungle des compléments et choisir le produit le plus qualitatif, il faut veiller de près aux mentions figurant sur l'emballage des compléments, la rigueur de l'étiquetage constituant d'emblée un critère sélectif.

Le pourcentage des ingrédients, leur énumération correcte, l'absence d'allégations farfelues font partie des premiers éléments à prendre en compte avant de choisir un complément. Suivent les indications sur la partie utilisée de la plante, sa forme (extrait, plante fraîche, plante séchée), le justification de toute présence d'ingrédients, en évitant les produits à " mille ingrédients " car leur dosage est souvent insuffisant.

Bien entendu, le fabricant doit être en mesure de fournir sur simple demande au consommateur qui le souhaite les différentes analyses microbiologiques, les fondements scientifiques qui justifient la présence des composants, et la garantie de la concentration en principes actifs.

♥ *Identifier son besoin !*

Les attentes par rapport à un complément doivent prendre en compte le besoin initial, le respect du mode d'emploi mais aussi la notion de durée. Un complément qui " aide vraiment " ne marche pas du jour au lendemain, mêmes si certains agissent plus vite que d'autres.

A un problème unique, tel que la fatigue, les réponses " compléments " efficaces peuvent être très différentes selon les personnes. C'est là qu'un magasin spécialisé qui vient en appui de conseil par rapport à la demande permet de la valider avec précision et d'orienter le choix du complément dans le bon sens.

La solution recherchée à la fatigue peut se trouver dans la détente. Dans ce cas, la réponse complément qui " aide vraiment " peut être de type aubépine ou passiflore. A une attente de meilleure tonicité face à la fatigue, la réponse sera plutôt ginseng. A une nécessité de régulation, le magnésium s'avérera plus indiqué.

♥ *Respecter les dosages !*

Il est vrai que certains consommateurs mal informés abusent dangereusement des vitamines et minéraux en vente dans les pharmacies ou dans les magasins de diététique. Les doses, déjà élevées, contenues dans chaque comprimé, sont parfois multipliées par plusieurs prises par jour, et il arrive que ce traitement sauvage se poursuive pendant des années.

De tels excès entraînent évidemment divers troubles, voire des pathologie graves. Chacun a, bien entendu, des besoins vitaminiques qui lui sont propres, et l'on peut se permettre de multiplier les doses journalières conseillées par un coefficient de deux ou trois, sans danger.

En revanche, lorsqu'on les multiplie par 5, 10, 20 ou plus, surtout lorsqu'il s'agit des vitamines A,D, E, B3 et B6, il convient alors de ne pas dépasser une durée de traitement généralement définie par le médecin, ou n'excédant pas trois à six mois.

♥ *Choisissez le plus naturel possible !*

On trouvera des stimulants dans les magasins de diététique et en parapharmacie, sous forme de compléments nutritionnels. On préférera bien sûr les nutriments extraits de la manière la plus naturelle, à ceux, plus synthétiques, que l'on trouve généralement en pharmacie.

Par exemple, la vitamine A présentée sous forme de gélules d'extrait d'huile de foie de morue est infiniment plus saine et plus efficace à long terme que la vitamine A synthétique. Mais il va sans dire que les nutriments vitaux contenus dans les fruits et légumes frais, sont les meilleurs de tous. Et s'il vaut mieux trouver sa dose de vitamine C dans une pastille d'acérola (petit arbre qui pousse en Amérique Centrale) plutôt que dans un comprimé d'acide ascorbique de synthèse, il est encore plus naturel de la trouver dans deux ou trois kiwis !

Les neurotransmetteurs

Les neurotransmetteurs sont des substances que les fibres nerveuses libèrent afin de transmettre un certain " message " à d'autres éléments nerveux ou à des tissus musculaires.

Globalement, il existe deux grandes familles de neurotransmetteurs : les catécholaminiques, qui excitent et les sérotoniques, qui calment.

Les protéines animales apportent des précurseurs (des acides aminés) qui vont se transformer en catécholamiques, alors que les protéines végétales vont, grâce à une abondance relative en trypophane, permettre une neurotransmission à effet plus relaxant.

La neurotransmission ne s'effectue donc pas de la même manière selon que l'on mange des produits végétaux ou animaux.

Bien avant ces découvertes scientifiques, les sages de l'antiquité affirmaient déjà que le régime végétarien contribuait à atténuer les tendances passionnelles et les troubles émotionnels et à rendre l'individu plus sensible, plus ouvert, plus intuitif et plus réceptif aux analogies.

Mais, tout le monde n'est pas orienté vers la vie spirituelle et il est vrai, surtout dans le monde moderne, qu'une certaine agressivité, bien contrôlée, est souvent requise…

Quoi qu'il en soit, ces échanges entre neurotransmetteurs et récepteurs influencent notre humeur et notre moral et jouent un rôle important dans le maintien de l'équilibre psychique et mental.

Si l'on ne mange jamais de dattes, de bananes, d'œufs ni de noix, si l'on boit de l'alcool ou si l'on est constipé, sans doute par manque de fibres, il ne fait pas s'étonner d'être déprimé ou violent ! C'est sans doute dû au manque de tryptophane, un acide animé essentiel.

Si l'on est amoureux, il est bon de consommer de la viande, du fromage, des huîtres, du pain de seigle. La tyrosine et les vitamines B qu'ils contiennent augmentent la libido !

Si l'on veut améliorer sa vie amoureuse, oignon, navet, radis, légumes verts, cresson et fruits de mer, poissons et algues, riches en iode, sont un apport précieux.

Voyons de plus près quelles sont ces substances qui favorisent la sécrétion d'hormones du plaisir, ou endorphines, au sein de notre système nerveux.

❤ L'adrénaline prépare au stress et au coup d'éclat.

❤ La dopamine est importante pour la coordination des mouvements et pour l'humeur.

❤ La noradrénaline stimule le corps et influence l'activité sexuelle.

❤ La sérotonine rend l'humeur joyeuse et influence l'équilibre psychique.

❤ La méthionine est un anti-dépresseur.

❤ L' histamine aide à maintenir la vie amoureuse sur ses rails.

Voici également quelques aliments particulièrement intéressants pour le moral, la bonne humeur et l'état amoureux.

Quelques aliments favorables

LE POISSON	Grâce à l'histamine contenue dans le poisson, cet aliment apporte satisfaction, joie de vivre et rend amoureux !
LA PASTEQUE	Si vous êtes nerveux, hypertendu, excité, mangez une pastèque, elle vous ramènera au calme !
LA GRENADE	Cet aliment est parfois censée agir sur le " troisième œil ". En tout cas, elle vous conduira à la sérénité !
LA TOMATE	Grâce à la tomatine et à la tryptamine contenues dans la tomate, nous nous relaxons et les blocages disparaissent !
L' AVOINE	C'est un fortifiant et un régulateur nerveux que l'on consommera avec profit en cas de fatigue ou de surmenage !

L' AVOCAT	Cet aliment est un équilibrant nerveux, auquel on attribue la vertu de redonner confiance en soi !
LA BANANE	Elle équilibre le système nerveux et redonne confiance !
LES NOIX	les substances contenues dans les noix jouent un rôle d'anti-stress, produisent des sentiments de bien-être et rendent l'humeur joyeuse !
LE PERSIL	Grâce à la vitamine C et à l'apiol, une substance proche de l'amphétamine, le persil donne de l'entrain. Il est parfait pour les élans amoureux !
LE SAFRAN	Cet aliment a le pouvoir de stimuler la sensibilité et d'ouvrir le cœur !

Les plantes aphrodisiaques

Certaines plantes jouissent d'une réputation d'aphrodisiaques c'est-à-dire qu'elles auraient un effet vasodilatateur et agiraient au niveau hormonal ou encore en dopant le tonus général.

Auréolées de légendes, ces plantes sont pour la plupart exotiques. Elles sont arrivées assez tardivement dans les pays industrialisés, où l'analyse de leur composition à permis de confirmer leur réputation.

Prudence tout de même dans leur utilisation, en particulier avec celles proposées à la vente sur internet : souvent, elles n'ont aucun effet ou alors induisent des érections douloureuses et de longue durée (priapisme) !

Leurs propriétés

Les plantes narcotiques : ce sont les plus dangereuses. Elles procurent bien sûr une sensation d'euphorie et permettent d'inhiber les résistances, mais, comme toutes les drogues, ont des effets secondaires hautement indésirables et entraînent souvent une dépendance.

Les plantes inflammatoires : leur effet aphrodisiaque réside essentiellement dans l'inflammation de l'appareil génital, qui amène une sensation de chaleur effectivement propice aux ébats...avant de laisser place à une irritation des muqueuses plus gênante qu'agréable.

Les plantes toniques : ce sont des plantes qui stimulent l'organisme ou ont une action thérapeutique sur certains désordres physiques. Bien que nécessaires au rétablissement des fonctions sexuelles, on ne peut en aucun cas les considérer comme aphrodisiaques au sens propre du terme.

Les plantes euphorisantes : leur mode d'action consiste à amplifier les sensations. Elles peuvent aussi augmenter les capacités d'endurance lors de l'acte sexuel. Mais ils s'avère difficile de distinguer, à priori, celles qui se révèlent inoffensives des toxiques.

Nous vous proposons le passage en revue de ces élixirs d'amour.

❤ Le ginseng

• Des expérimentations cliniques menées sur la racine de ginseng dans le traitement de l'impuissance ont montré qu'elle favorisait la spermatogenèse, augmentait la vitalité des spermatozoïdes et stimulait l'activité rénale provoquant mécaniquement une meilleure érection.

• En outre, par son action redynamisante et antifatigue, le ginseng permet indirectement de retrouver une sexualité harmonieuse : quoi de plus naturel en effet ! Moins fatigués, nous tendons tout naturellement à nous épanouir davantage dans notre vie sexuelle.

• Aujourd'hui, cette plante est omniprésente dans les pharmacies, parapharmacies et magasins de produits naturels.

• Mais là encore, respectez les doses recommandées et sachez que ce produit est contre-indiqué chez les personnes qui souffrent d'hypertension.

❤ L' angélique chinoise

• Aphrodisiaque féminin par excellence, l'angélique chinoise est prescrite contre la frigidité depuis le XVIIIe siècle. On lui attribue des effets sur la femme tout à fait comparables à ceux du ginseng sur l'homme, puisqu'elle tonifierait l'utérus, augmenterait les sensations durant les rapports et intensifierait l'orgasme.

• C'est l'acide férulique, contenu dans la racine et l'huile essentielle, qui a des effets toniques, active le sang et stimule certains récepteurs de l'utérus.

• Toutefois, il ne faut pas en abuser, car à forte dose, elle influe sur le rythme cardiaque et la pression artérielle, et a des effets photo-sensibilisants pouvant provoquer des dermatites.

• Elle est toujours contre-indiqueé en cas de grossesse.

♥ Le bois bandé

- C'est un produit naturel connu aux Antilles. Présenté sous forme d'écorce, il se récolte dans les forêt tropicales humides. Le bois bandé contient un principe actif qui augmenterait la performance sexuelle grâce à son action vasodilatatrice favorisant l'érection.

- Mais, attention, ses effets secondaires étant mal connus, il est fortement recommandé de ne pas dépasser les doses conseillées et d'espacer les prises d'au moins vingt-quatre heures.

- En outre, ce produit est à proscrire chez les cardiaques et les personnes souffrant d'hypertension. Les fait de ne pas le trouver en pharmacie devrait d'autant plus inciter à la prudence. Il est tout de même possible d'acheter du bois bandé dans les magasins de produits exotiques.

♥ Le yohimbé

- La yohimbine est le principe actif que l'on tire de l'écorce du yohimbé, un arbre poussant notamment au Gabon et au Congo. Chez l'homme, la yoyimbine est censée faciliter l'érection grâce à ses propriétés vasodilatatrices.

- Chez la femme, il provoquerait des poussées de désir en dilatant les vaisseaux sanguins des parties génitales, mais l'emploi du conditionnel demeure cependant préférable.

- La yohimbine est un produit actif dont l'usage est formellement contre-indiqué chez les personnes souffrant de maladies des reins, du foie et de l'hypertension.

- La yohimbine entre dans la composition d'un médicament hypertenseur vendu en pharmacie, la *yohimbine houdé* prescrit dans le traitement de l'impuissance.

❤ La maca

- La maca est l'une des plantes les plus anciennes qui pousse sur les hauts plateaux andins du Pérou. Sa racine était déjà utilisée par les Incas en tant que complément alimentaire pour tonifier l'organisme et atténuer la faim des populations isolées.

- Elle était également recherchée pour ses vertus aphrodisiaques très dynamisantes, tout aussi bien auprès des hommes que des femmes, en manque de puissance, de jouissance ou de désir sexuel.

- Aujourd'hui, la consommation de la racine de maca a largement débordé les frontières du Pérou pour s'étendre à l'ensemble du continent sud et nord américain ainsi qu'en Europe.

- Elle est surnommée le " viagra péruvien " car elle active l'érection chez l'homme et stimule efficacement la libido, aussi bien chez la femme que chez l'homme : plus de désir, plus de jouissance.

- La racine de maca n'est pas un médicament : c'est un complément alimentaire au même titre que le ginseng, le ginkgo biloba... mais ses effets énergétiques sont plus puissants grâce à son action directe sur le système endocrinien.

- Impossible de se procurer de la maca fraîche en Europe ! Elle est importée sous forme de poudre du Pérou et on la trouve donc le plus souvent, en gélules vendues en pharmacies ou parapharmacies, dans les magasins de produits naturels.

❤ Le gingembre

- Originaire des îles du Pacifique, c'est sur l'homme et la femme que s'exercent ses effets aphrodisiaques. Ses principes actifs révulsifs provoquent un afflux de sang intense aux organes sexuels, qui stimule le désir et le passage à l'acte.

- Le parfum envoûtant du gingembre, lui, entraîne des sensations excitantes et euphorisantes.

- Les racines de gingembre se vendent en pharmacie ou dans les épiceries asiatiques.

❤ La sarriette

- Assez proche du thym par ses qualités toniques et antiseptiques, la sarriette s'en distinguerait par son pouvoir hautement aphrodisiaque puisque c'est depuis l'antiquité qu'on la nomme " herbes aux satyres ".
- Aujourd'hui, on attribue quelque fois à cette incontestable herbe de l'amour des effets dépassant ceux du ginseng.
- Le principe actif responsable de cet exceptionnel effet aphrodisiaque est un flavonoïde nommé eriodictyol, relaxant et vasodilatateur.
- De plus, on note la présence de tocophérols dans la sarriette, ce qui en fait également un excellent antioxydant.
- Cette herbe peut être indifféremment utilisée comme condiment ou en tisane. Son huile essentielle est souvent prescrite dans les cas d'insuffisance sexuelle.

❤ La mandragore

- Cette plante mythique, connue dans tous les pays qui bordent la Méditerranée, considérée comme une panacée, était au Moyen Âge une boisson sorcière, un puissant philtre d'amour. Sa racine ressemble à un corps humain mâle et femelle qui évoque l'androgynat, la réalisation amoureuse.
- Pourtant, il ne s'agit pas seulement d'un symbolisme suggestif, à cause de la forme des racines. La racine de mandragore contient en effet des substances actives, des alcaloïdes, dont les effets physiologiques ont été démontrés.
- Ils agissent comme stimulants érotiques, sensoriels, et en même temps lèvent les inhibitions.

- A haute dose, les tisanes de mandragore, ou les morceaux de racines mâchés, peuvent devenir toxiques.

❤ Le guarana

- Cette plante brésilienne surnommée " la nourriture des dieux " contient des graines aux propriétés stimulantes, proches de celles du ginseng.
- Riche en caféine, le guarana, utilisé habituellement dans les régimes amaigrissants, a été testé avec succès lors d'un Paris-Dakar. Il augmente en effet la vigilance au volant et permet une récupération plus rapide de la fatigue physique.
- Elle est particulièrement efficace en cas de stress important et de fatigue intense.
- Attention car la guarana augmente la vigilance, mais de façon ponctuelle et artificielle. Quand on arrête, on risque de se retrouver plus à plat qu'avant.

❤ Le millepertuis

- Le millepertuis ou " herbe de la Saint Jean " vous tirera d'affaire. Des études récentes ont montré que cette plante, utilisée autrefois en usage externe pour cicatriser les plaies, agit comme un véritable antidépresseur grâce à l'hypericine, l'un de ses composants, très actif contre la dépression.
- Evitez de vous exposer au soleil, car le millepertuis contient une substance photosensibilisante.

❤ L' éleuthérocoque

- Cette plante combat la fatigue physique et psychique, stimule système nerveux central et améliore la circulation cérébrale. En agissant directement sur les centre cérébraux, elle augmente la résistance au stress et diminue le surmenage.

- Evitez de donner cette plante puissante aux enfants.
- On trouve l'éleuthérocoque sous forme de gelules en pharmacie ou magasins de produits naturels, et sous forme de teinture-mère en pharmacie.

❤ Le tribulus

- Autrefois, on nommait cette plante, Croix de Malte, ici encore en raison de forme en croix de son fruit. On le trouve au sud et sud-ouest de l'Europe, en Asie occidentale, en Inde et en Afrique du Nord jusqu'au Sénégal.
- Son usage est fort ancien puisqu'en Europe, le tribulus a été utilisé des siècles durant pour combattre l'insuffisance hormonale chez les hommes et chez les femmes.
- Son fruit est réputé tonique, antitussif et surtout efficace aux faiblesses sexuelles, à la goutte et aux maladies des reins. Des études cliniques, ces dernières années, ont confirmé ses propriétés fortifiantes, qui ont conclu à une nette amélioration des fonctions reproductrices, incluant une augmentation du nombre de spermatozoïdes et de testostérones chez l'homme.
- Chez la femme, il augmente la concentration des hormones, et de ce fait, améliore la fonction reproductrice, la libido et l'ovulation.

❤ Le shisandra

- Surnommé le " fruit au cinq saveurs " et utilisé depuis des millénaires en Chine et au Tibet, le shisandra est un traitement de fond. Il améliore l'adaptabilité à une situation donnée.
- De par ses propriétés régénératrices des tissus et une action stimulante sur leur oxygénation, ainsi que sur le cerveau, il régularise les métabolismes et augmente l'énergie, favorisant ainsi une bonne expression de la sexualité.

♥ Le kola

- La noix de kola contient de la caféine et de la théobromine : c'est un stimulant nerveux et musculaire.
- Attention : prise le soir, elle peut provoquer une insomnie et est contre-indiquée dans certaines affections cardiaques.

♥ La gelée royale

- Grâce à la gelée royale, la reine des abeilles vite quarante fois plus longtemps que ses filles ! C'est une véritable mine de nutriments : tous les acides aminés essentiels, des minéraux et des oligo-éléments.
- Connue pour renforcer les défenses naturelles de l'organisme, la gelée royale permet de passer au travers des frimas sans encombre.
- C'est aussi un bon moyen pour se débarrasser de la fatigue, qu'elle soit physique ou intellectuelle. C'est aussi une alliée incontestable en période de baisse de moral et de stress.
- En générale, on recommande de prendre de la gelée royale en cure de un à trois mois. La meilleure gelée royale est sans doute la gelée royale pure, à prendre à raison d'un gramme, à laisser fondre sous la langue le matin.

♥ Le ginkgo biloba

- Surnommé " arbre des centenaires ", cette plante possède de réelles vertus sur la circulation et est largement utilisée dans de nombreuses préparations pharmaceutiques.
- D'après des tests scientifiques, cette plante améliorerait la circulation sanguine vers et hors du pénis. Il accroît la testostérone sérique, a un effet pro-sexuel et permet de rétablir la réponse érectile.

❤ Le shiitaké

- Dans les pays d'Orient, le ginseng a trouvé un concurrent à sa mesure : le shiitaké, un champignon que les Chinois de la dynastie Ming appelaient " élixir de longue vie ".

- Le shiitaké contient une substance, la lentinane, que les scientifiques du monde entier étudient depuis plusieurs années pour ses activités sur le système immunitaire. En effet, le lentinane accélère la production naturelle d'anticorps.

- Il possède aussi une action antivirale très intéressante car il favorise la production d'interféron, une substance qui empêche la prolifération des virus dans nos cellules.

- Bref, ce champignon est un véritable allié lorsque l'on veut renforcer la résistance générale de son organisme et accroître la vitalité.

Des huiles essentielles pour une sexualité heureuse

Les anciens ignoraient la composition des essences, mais sans en comprendre le mécanisme, ils utilisaient quotidiennement leurs vertus thérapeutiques. Aujourd'hui, l'utilisation la plus fréquente est l'emploi des essences pour le bain ou en massage.

En premier lieu, les effets que l'on en attend, qu'ils soient tonifiant ou calmants, sont efficaces en peu de temps. En second lieu, la haute diffusion des essences, c'est-à-dire leur pouvoir de pénétration, permet à l'essence aromatique d'agir dans sa totalité et de se retrouver très rapidement dans tout l'organisme.

Ces huiles essentielles, sélectionnées pour vous, stimulent la résistance de l'organisme au stress et influent directement sur l'activité des glandes sexuelles via l'hypophyse. Dans notre quête d'équilibre et de bien-être, elles savent aussi apaiser les angoisses, dissiper les tensions, stimuler les organes et réjouir l'esprit.

Les massages sont un extraordinaire source de détente. Pratiqués régulièrement, ils ont un effet bénéfique sur la santé. Etre massé, comme le souligne le docteur Gérard Leleu, médecin et sexologue, est un besoin vital : " *l'importation des massages orientaux a heureusement permis une prise de conscience du corps, longtemps anesthésié par une éducation qui lui accordait peu de place* ".

La profondeur de l'état de relaxation dépendra directement de l'importance des conflits inconscients responsables des tensions corporelles. Engagée dans une prise de conscience avec son corps, il s'agit d'une occasion de s'évader du stress et des soucis quotidiens, avant de découvrir comment pendre soi-même sa propre évasion, son propre plaisir...grâce à une sexualité assumée !

POUR MONSIEUR

♥ L' huile essentielle de menthe poivrée

- La menthe, largement utilisée depuis la lointaine antiquité, est appréciée pour sa finesse et sa richesse en essence aromatique. Tonique du système nerveux, stimulant général, on la recommande pour traiter les symptômes d'angoisse, de lassitude, de dépression nerveuse mais aussi d'impuissance.

- Traitement externe : retournez le flacon entre deux doigts et passer sur la nuque, et éventuellement sur le front et les tempes en évitant les yeux.

- Traitement interne : buvez une infusion de menthe poivrée tous les soirs, avant de vous coucher. Mettez cinq grammes de feuilles et sommités fleuries sèches ou fraîches dans une tasse d'eau bouillante que vous laisserez infusez dix minutes et que vous sucrerez avec un peu de miel d'acacia.

❤ L' huile essentielle de santal

- Originaire d'Inde, c'est un tonique général, un aphrodisiaque et décongestionnant veineux, ce qui peut être très utile dans certains cas d'impuissance.

- Traitement externe : diluer deux à trois gouttes avec de l'huile d'amande douce pour un massage du plexus. Peut également s'utiliser dans un bain aromatique.

❤ L' huile essentielle de romarin

- Depuis l'antiquité, le romarin est employé pour améliorer et stimuler la mémoire. En stimulant cérébral et psychique, cette plante présente d'exceptionnelles qualités qui sont à la hauteur de son envoûtant parfum camphré et amer.

- Traitement externe : deux fois par semaine, en fin d'après midi, prendre un bain tonifiant aux huiles essentielles de romarin (en pharmacie ou en magasins spécialisés). Prenez un bain tiède à 30° environ, de quinze à vingt minutes maximum, suivi d'un repos en peignoir de la même durée. Il est important de ne pas prendre de douche ni de vous essuyer en sortant du bain mais de simplement enfiler un peignoir, sinon la pénétration cutanée bénéfique des éléments biologiques qui se poursuit après le bain ne pourrait s'opérer.

- Traitement interne : En décoction. Une poignée de feuilles par litre d'eau. Faire bouillir dix minutes. Prendre une tasse avant ou après chaque repas.

❤ L' huile essentielle de gingembre

- Son rhizome, à la fois énergisant et aphrodisiaque, est réputé pour faire circuler l'énergie dans le corps et stimuler les processus digestifs de transformation des aliments.

- Traitement externe : bain chaud avec quelques gouttes de gingembre ou massages locaux.

- Traitement interne : une à deux gouttes dans un fond de cognac constituent un tonique agréable. Vous pouvez également consommer deux à trois gouttes d'huile essentielle sur un sucre, en cure, trois fois par jour pendant trois jours. Ce remède stimule l'activité sexuelle.

❤ L' huile essentielle de sarriette des montagnes

- Cette plante aromatique vivace a, depuis, de nombreux siècles, la réputation d'attiser violemment les feux de l'amour...Il est dit que son huile essentielle exerce une action particulière sur les glandes sexuelles et elle convient particulièrement aux hommes à cause de ses propriétés aphrodisiaques.

- Traitement externe : en massage dilué dans de l'huile d'amande douce ou de jojoba

- Traitement interne : une goutte de chaque : sarriette + cannelle + girofle + romarin sur une cuillerée à café de miel dans un verre d'eau chaude. Véritable cocktail aphrodisiaque pour une libido affaiblie !

POUR MADAME

❤ L' huile essentielle de sauge

- Le nom scientifique de la sauge indique clairement l'importance de son rôle en aromathérapie : " salvia " veut dire " salvare ", qui, en latin, signifie " guérir ". Pendant tout le Moyen Âge, elle entre obligatoirement dans la composition des préparations qui tiennent la vedette en pharmacopée : eau d'Arquebuse, eau Céleste, eau Impériale. Elle est réputée pour ses propriétés toniques, anti-spasmodiques, stomachiques, antiseptiques et d'hypertenseur.

• Traitement externe : Prendre un bain aromatique avec deux à trois gouttes d'huiles essentielles de sauge le soir avant de se coucher.

❤ L' huile essentielle d'angélique chinoise

• Sélectionnée pour son action anxiolytique, cette plante médici-nale est reconnue depuis longtemps pour ses vertus curatives.

• Traitement externe : friction locale ou massage sur les parties du corps qui sont particulièrement tendues.

• Traitement interne : en tisane.

❤ L' huile essentielle d'épicéa

• Sélectionnée pour sa puissante action stimulante sur l'axe hypo-physe/surrénales/gonades, l'huile essentielle d'épicéa est recon-nue pour ses propriétés aphrodisiaques.

• Traitement externe : dans le creux de la main, en friction sur la colonne vertébrale une demi-journée avant.

❤ L' huile essentielle de bois de rose

• Cette plante sauvage du Brésil dont on utilise le bois et les feuilles, est un anti-fatigue, y compris sexuel. Originaire des pays tropicaux, son huile essentielle est principalement utilisée en parfumerie et en cosmétologie.

• Traitement externe : en friction ou massage. Mélanger quelques gouttes d'huile essentielle de bois de rose à de l'huile de coco.

❤ L' huile essentielle de niaouli

• Cette plante de Madagascar et de Nouvelle Calédonie est énergi-sante et radio-protectrice. On la prescrit généralement en cas de refroidissement, de grippe, de rhumatisme mais grâce à ses propriétés stimulantes, elle est recommandée en cas de libido à plat. Elle est surtout employée en utilisation externe.

• Utilisation externe : quelques gouttes à mélanger dans de l'huile d'amande douce à frictionner sur le plexus solaire.

❤ L' huile essentielle de ylang-ylang

• Plante de Madagascar, régulatrice du système cardiaque, considérée comme un tonique ovarien et testiculaire. L' huile essentielle du ylang-ylang, au parfum très chaud et fleuri, entre fréquemment dans la composition d'huile de massage en raison de son action tonique et régénérante pour la peau.

• Traitement externe : en massage sur le plexus

• Traitement interne : une goutte de chaque, ylang-ylang, sarriette, girofle, romarin sur une cuillerée à café de miel. Ce cocktail aphrodisiaque est un véritable stimulant sexuel.

QUELQUES RECETTES POUR TOUS LES DEUX

❤ Fonction défatiguante

Trois gouttes de romarin, trois gouttes de gingembre, une goutte de menthe poivrée dans cinquante ml d'huile d'amande douce en huile pour le corps

❤ Fonction tonique

Ayez à portée de main un petit flacon d'huile de romarin à respirer la matin avant de vous lever.

❤ Fonction anti-stress

Une goutte d'huile de menthe poivrée sur un mouchoir.

❤ Fonction relax

Deux gouttes de néroli, trois gouttes de bergamote, cinq gouttes de lavande dans un demi-verre de base moussante pour un bain.

❤ Fonction " pensée positive "

Une à deux gouttes d'angélique sur un mouchoir.

LE TOP 25 DES ALIMENTS AU SERVICE DE LA SEXUALITÉ

❤ L' Ail ❤

*Dans toutes les civilisation, l'ail est associé à la sexualité. Cet aliment
" qui rend les femmes amoureuses et les hommes forts "
fut à la base de nombreuses recettes, particulièrement chez
les prêtresses des temples d'Eros.*

Polymnie, muse de la poésie rend hommage à cette divine liliacée :

*" O Ail, Ail, Ail !…O Ail tout puissant
Très merveilleux assaisonnement, bouquet, arôme, parfum, fleur,
odeur, aromate, épice,
Tu es l'essence, le dictame, l'encens qui relève, rehausse, pimente,
Tu es le fouet, l'aiguillon qui excite, stimule,
O ail, tu attises, tu talonnes, tu éperonnes, tu ravigotes… "*

*Suspendu en couronne au-dessus du lit conjugal, l'ail accompagne
aussi la nuit de noce. Dans le midi, il était courant de faire absorber
un énorme bol de soupe noire de vin, poivrée et farcie d'ail, la fameuse
" aillade de minuit ", censée assurer le succès de la première rencontre
amoureuse…*

*Sans aucun doute, l'ail procure force et santé. C'est la plante
privilégiée de Mars, le dieu de la guerre. Chez les Grecs et les
Romains, les militaires faisaient prendre de l'ail à leurs soldats
avant l'attaque… pour en doubler l'impact !*

Alors, n'hésitons plus à mettre un peu d'ail dans nos assiettes !

♥ L' ail, pour une vigueur retrouvée !

Cet aliment miracle fut couramment consommé avant le travail, la guerre et l'amour pour donner plus de vigueur.

L'Egypte ne serait pas l'Egypte sans les grandes pyramides mais sans ail... y aurait-il eu des pyramides ? C'est la question que l'on doit se poser lorsque l'on considère l'importance de l'ail au pays des pharaons.

Près de 3000 ans avant Jésus-Christ, les contremaîtres " gavaient " d'ail les ouvriers engagés dans la construction de pyramides et des temples des grands pharaons d'Egypte pour leur donner plus de vigueur à l'ouvrage, sans augmenter leur ration alimentaire.

Les Athéniens, qui consommaient beaucoup d'ail, l'appelaient rose puante. Les lutteurs, avant de se présenter dans l'arène, en mâchaient quelques gousses crues pour se donner force et courage. Ainsi feront les gladiateurs romains !

Chaldéens, Assyriens, Babyloniens, tous furent friands de ce symbole de la force physique sur lequel on jura longtemps. Vikings et Phéniciens ne prenaient jamais la mer sans quelques-unes de ces gousses miraculeuses pour se nourrir et se soigner contre les maladies que l'on attrape sur les flots.

Quant aux prêtresses des temples d'Eros, d'Aphrodite ou de Dionysos, elles étaient expertes dans l'art des philtres d'amour. Leur science était telle qu'elles attiraient dans leur sanctuaire des voyageurs à problèmes venus de tous les coins de l'Empire.

L'ail " *qui rend les femmes amoureuses et les hommes forts* ", était à la base de toutes leurs recettes, particulièrement du cinquième au premier siècle avant J.-C. C'était selon le poète Martial, un aphrodisiaque sans égal pour entretenir une flamme près de s'éteindre entre époux d'âge canonique et pour rendre à l'homme surmené toute la virilité requise pour les combats amoureux !

Selon le Talmud, l'ail rend le sperme plus abondant et détient cinq vertus : " *il se mange bien et facilement, il colore le teint, il rend amoureux et il chasse les parasites intestinaux. Certains sages disent qu'il rend sentimental et indulgent* ". Au Moyen-Orient, le jeune marié porte une gousse d'ail à sa boutonnière. Elle lui assure une vaillante nuit de noces !

En Sicile, lors de la cérémonie du mariage, la future mariée a toujours une gousse d'ail en poche. On en dépose aussi dans le lit des accouchés et jusqu'au baptême du nouveau-né. Elle protège à la fois la mère et le nourrisson.

La médecine indienne place l'ail parmi les aliments " chauds " et les classe parmi les excitants et aphrodisiaques. Et c'est à ce titre que pour les Hindous, tous ceux dont les sens ne doivent pas être éveillés et qui ne doivent pas avoir des pensées impures, doivent s'abstenir de consommer de l'ail.

C'est le cas des brahmanes strictement orthodoxes, tels ceux du Cachemire, des renonçants qui ne veulent pas d'entraves à leur vie spirituelle, mais aussi des veuves de haute caste qui n'ont pas le droit de se remarier.

L'ail est sans conteste un puissant énergétique et une véritable panacée. L'odeur de cette gousse a pourtant de quoi décourager les plus entreprenants, d'autant que pour qu'elle ait des effets sûrs, il est préférable de la manger crue !

❤ L' ail au service du désir

Au Ier siècle de notre ère, l'ail était considéré comme une panacée. Il devait conserver cette place jusqu'au Moyen Âge, où les grands épidémies de peste mirent ses pouvoirs à rude épreuve. Riche en éléments soufrés, en iode, en silice, en phosphore..., l'ail contient aussi de l'allicine qui stimule la circulation sanguine.

Cette " supermolécule " joue le rôle d'antioxydant capable de neutraliser les radicaux libres, responsable de la dégradation du cholestérol LDL. Mais elle n'agit pas seule sur ce front.

Une gousse d'ail contient en effet une trentaine d'autres antioxydants comme le sélénium et la vitamine C. Un atout qui pourrait être utilisé en prévention, mais également de façon réparatrice en cas de problème d'impuissance.

N'oubliez pas que le sélénium accroît la puissance sexuelle et la fertilité !

Entendons-nous bien, l'ail n'est pas un remède spécifique de l'impuissance et il ne peut être valable que lorsqu'il s'agit d'un état de fatigue passager.

Cela dit, c'est un puissant aphrodisiaque qui stimule l'activité sexuelle. C'est peut-être ce que voulait spécifier Bernard de Saint-Phalle en écrivant à propose de l'ail : " *son odeur est si redoutée par nos petites maîtresses qu'il est peut-être le remède le plus puissant qu'il y ait contre les vapeurs et les maux de nerfs auxquels elles sont sujettes…* " !

En résumé, l'ail remet le corps entier en forme et, tous les centenaires méditerranéens qui en consomment ne nous contrediront pas ; il a le don de concentrer nos énergies et de nous apporter la vitalité en même temps qu'il protège notre santé.

♥ Autres effets thérapeutiques

• La consommation régulière d'ail (cuit ou cru) diminue de moitié le risque de cancer de l'estomac, des deux-tiers celui du cancer du côlon et de l'anus. Grâce à ses vertus

• Antibactérien, il pourrait s'étendre à d'autres types de cancers, même si on manque encore d'informations pour pouvoir l'affirmer.

- De nombreux travaux ont également montré que l'ail a une action régulatrice sur les troubles du métabolisme du cholestérol. Des chercheurs israéliens ont en effet révélé une piste prometteuse : l'allicine peut bloquer des enzymes en réagissant avec leurs groupes soufrés. Or, certains enzymes impliqués dans la fabrication de cholestérol sont riches en soufre. En s'y liant et, de ce fait, en les inhibant, l'allicine pourrait réduire cette synthèse.

- L'ail a un effet détoxifiant sur l'organisme : il neutralise les toxines présentes dans le tractus digestif et dans les organes d'élimination, ainsi que celles qui circulent dans le sang (ex : effet de la nicotine).

- L'ail renforce les défenses de l'organisme contre les allergènes. Il est utilisé dans les traitements des allergies, de l'asthme et l'hypoglycémie.

- Il prévient le vieillissement précoce en améliorant la fonction circulatoire et l'activité physique.

- L'ail élimine le stress, et se révèle excellent contre les crises d'angoisse qu'il apaise rapidement.

♥ Conseils d'utilisation

- Pour bénéficier des bienfaits thérapeutiques de l'ail, il vaut mieux l'utiliser cru, le hacher puis en saupoudrer légumes et salades. Aussi, la meilleure solution consiste à le consommer avec un peu d'huile d'olive car les lipides de l'huile aideront à assimiler les principes actifs de l'ail. Vous pouvez également améliorer son efficacité en l'absorbant accompagné de citron.

- Comme chacun sait, l'ail a pour principal inconvénient de donner mauvaise haleine. Dans ce cas, il est toujours conseillé de mâcher des feuilles de coriandre ou de menthe ou encore de se rincer régulièrement la bouche à l'eau citronnée. On peut aussi neu-traliser l'odeur de l'ail en croquant quelques grains de café, d'anis vert, de cumin ou de cardamome. Et si vraiment vous n'aimez ni le goût de l'ail, ni son odeur, vous pouvez toujours le consommer en conditionnement moderne : gélules ou comprimés !

• L'ail consommé avec son germe peut être indigeste. Pour pallier cet inconvénient, conservez-le à l'abri de la lumière afin de l'empêcher de germer, ou bien, ôtez son germe avant de le consommer.

❤ La Cannelle ❤

On raconte de la plupart des épices qu'elles étaient chaudes et pouvaient donc échauffer le corps jusqu'à le faire bouillir de désir.

Epice de renommée, la cannelle a notamment cette propriété et elle fut célébrée non seulement en Europe mais aussi au Proche-Orient et en Extrême-Orient.

Moise Maïmonide, le célèbre médecin judéo-arabe du XIIe siècle, conseillait un mélange d'épices, dont on devait saupoudrer chaque plat afin de prévenir tout problème lié à l'impuissance. La cannelle en faisait évidemment partie.

La médecine chinoise, quant à elle, la prescrit encore aujourd'hui en cas de faiblesse des membres, de douleurs cardiaques, d'impuissance et de stérilité féminine.

Quant à l'écorce de cannelle, elle est tout à fait adaptée aux rigueurs de l'hiver et à la perte de la vitalité – y compris sexuelle – qui accompagne cette saison.

♥ La cannelle ou " graine du paradis "

Cette épice au parfum enivrant est joliment surnommée " graine de paradis ", sans doute parce que ces effets transportent au septième ciel.

Pour preuve, les amours de Tristan et Iseult furent favorisées par la cannelle qui entra dans la composition du philtre qu'ils burent tous les deux. Les anciens l'utilisaient aussi comme encens et comme parfum.

A la mort de Poppée, Néron brûla de la cannelle. Tonique et puissante, elle a été de tout temps considérée comme un aphrodisiaque de premier choix, à cause de sa saveur chaude, piquante, légèrement sucrée et de son odeur pénétrante.

Aussi, les Phéniciens en brûlaient pour se concilier les faveurs de la déesse Astarté et les Romains en ornementaient les temples dédiés à Vénus.

En Chine, une légende raconte que la déesse chinoise des canneliers donna une potion magique à la cannelle à un beau philosophe pour qu'il succombe à ses charmes. Ce qu'il fit !

Enfin, l'art d'aimer oriental, transcrit par Cheikh Nefzaoui, propose des recettes érotiques essentiellement à base d'épices dans lesquelles figure la cannelle. Plus tard, les Européens en firent importer et commencèrent à s'intéresser à ces recettes. Au siècle dernier, les " pastilles parisiennes du sérail " contenaient entre autres de la cannelle.

♥ La cannelle, épice de la passion

La cannelle, riche en fer et en calcium est une épice extrêmement tonique, réchauffante et stimulante. Son action sur nos zones érogènes est comparable à celle des hormones.

Aujourd'hui, en Chine, l'huile essentielle de cannelle est étudiée pour ses propriétés sédatives, anti-cancéreuses et anti-oxydantes. En France, on l'utilise en aromathérapie pour combattre les douleurs et les états dépressifs.

❤ Autres effets thérapeutiques

- En voix interne : refroidissement, rhume, fièvres, toux, mauvaise circulation. Conseillée en cas de grande fatigue et la sensation de froid consécutive à une maladie grave ou à un stress prolongé.
- En voix externe : en bains de bouche pour les affections gingivales, en gargarisme pour les angines. Peut s'incorporer au dentifrice.

❤ Conseils d'utilisation

- N'achetez pas trop de bâtons de cannelle à la fois : ils perdent vite leur arôme. Conservez-les dans un récipient hermétique.
- Préférez la cannelle de Ceylan, bien plus fine et parfumée que les grosses écorces venues de Chine ou du Viêt-nam.
- L'huile essentielle de cannelle doit être fortement diluée pour ne pas irriter les peaux sensibles.
- Ne pas utiliser à doses médicinales pendant la grossesse. Mais l'usage culinaire est permis.

♥ Le Céleri ♥

Surnommé " légume viril " ou " légume lubrique ", le céleri n'était jamais servi aux célibataires. De nombreux proverbes populaires témoignent de ses propriétés :

" Le céleri rend sa force au vieux mari ".

" Si l'homme savait l'effet du céleri, il en planterait dans son coutil ".

" Si la femme savait ce que le céleri vaut à l'homme, elle irait en chercher jusqu'à Rome ".

Riche en vitamines, minéraux et oligo-éléments, le céleri est excellent pour les muscles et l'équilibre des fonctions sexuelles. Arme préférée de Madame de Pompadour, il s'agit d'un véritable stimulant pour la libido.

Grimod de la Reynière le trouvait " échauffant et par conséquent assez puissamment aphrodisiaque ".

*Enfin son action sur les nerfs est connue depuis bien longtemps :
" Pour les nerfs bouleversés, que le céleri soit votre alimentation et votre remède " disait déjà Hippocrate il y a près de vingt-cinq siècles.*

♥ Le céleri, légume viril

La réputation sulfureuse de ce légume appelé jadis ache ou persil d'âne et que certains qualifient de " viril " ou de " lubrique ", ne date pas d'hier : les Grecs de l'Antiquité offraient du céleri comme prix aux athlètes qui avaient remporté des victoires.

Les Romains le tressaient en couronne pour s'exciter à jouir de la vie ou se dégriser durant les banquets. Ils l'avaient dédié à Pluton, dieu du sexe et de l'enfer !

Aussi, la légende veut que, dans le philtre d'amour de Tristan et Yseult, il entrât une forte dose de céleri. Il est vrai que d'autres ingrédients complétaient ce filtre : le testicule d'un coq, du vin, des fleurs de mandragore fraîche, de la cannelle et plus modestement des truffes, du poivre, du thym et du laurier. Le céleri, humble légume potager, était donc en bonne compagnie !

Au Moyen Âge, le céleri eut une solide réputation d'aphrodisiaque. Aussi, on lui attribuait mille vertus : il était censé prévenir la mélancolie et déterminer le sexe d'un enfant à naître.

On le plaçait généralement sous le lit d'une femme enceinte, à son insu. Si le premier nom qu'elle prononçait était celui d'un homme, elle était assurée d'avoir un fils !

Plus tard, il fut consommé par les plus grands séducteurs de l'histoire comme Casanova ou Madame de Pompadour. Le ratafia de céleri préparé à base de vin favorisait l'étreinte amoureuse. C'était *" une liqueur épaisse, sucrée, autant que l'anisette, mais encore plus féminine et plus douce : seulement, quand on avait avalé cet inerte sirop, dans les lointains des papilles, un léger fumet de céleri passait "*.

Aujourd'hui, les vertus aphrodisiaques du céleri sont toujours reconnues. C'est à cause de ces effets, dit-on, que les Américains en " broutent " si volontiers et que l'on en trouve des bouquets de tiges à croquer sur toutes les tables à l'heure de l'apéritif !

♥ Une action stimulante sur la libido

Le céleri est un véritable coffre à trésors, débordant de substances bénéfiques pour la forme physique et intellectuelle. Il contient des huiles essentielles et des enzymes, des sels minéraux comme le fer, le sodium, le soufre et le phosphore.

De plus ce tubercule est riche en vitamines A et E, en vitamines du groupe B et en substances actives comme la choline, la tyrosine, la glutamine et l'asparagine. Il est excellent pour les muscles, fluidifie le sang et aide les artères à combattre le processus de vieillissement.

Les huiles essentielles responsables de l'odeur du céleri excitent les nerfs et grâce à certains alcaloïdes, notamment l'apigénine, aux propriétés vasodilatatrices et relaxantes sur la spermatogenèse, il s'avère particulièrement aphrodisiaque et combat l'impuissance.

Sachez donc, Messieurs, que ce légume inoffensif contient des phéromones stéroïdiques, une substance qui rend plus sûr de soi et guide la tension sexuelle !

♥ Autres vertus thérapeutiques

- En Asie, le céleri est utilisé depuis des siècles pour traiter l'hypertension artérielle. Il contient, en effet, une substance chimique appelée phtalide qui détend les muscles des artères et assure la régulation de la pression sanguine.
- Des recherches récentes ont montré que ce tubercule contient des substances complexes pouvant empêcher la croissance de cellules cancéreuses.
- On le recommande enfin dans les cas d'asthénie, de déminéralisation, comme antirhumatismal et draineur pulmonaire.

❤ Conseils d'utilisation

- Les graines de céleri vendus au rayon des épices sont une mine de nutriments pouvant être utilisés sur les potages, ragoûts et autres préparations mijotées.
- Conservez systématiquement les feuilles de céleri-branche pour aromatiser vos soupes et sauces. Ces dernières apporteront un merveilleux parfum à vos préparations.
- Une méthode pour utiliser les épluchures de céleri-rave : broyer au mixeur une poignée d'écorces de céleri-rave séchées et une poignée de gros sel marin bien sec. A conserver dans une bouteille fermée ou une boîte en fer. Ce sel de céleri vous permettra de saupoudrer vos jus de légumes.
- Une poignée de racines pilées dans un litre d'eau servie en décoction (deux tasses par jour) pour obtenir un véritable " philtre d'amour " et souvenez-vous de ce dicton : " *Si jeune femme savait ce que le céleri fait à l'homme, elle irait en chercher jusqu'à Rome* " !

❤ Le Champagne ❤

Objet de gourmandise et de satisfaction, comment le champagne pourrait-il être autrement ?

Avec les huîtres qui sont riches en vitamines " de l'effort " et en iode, qui a une excellente influence sur la thyroïde, il apportera simplement l'euphorie et la bonne humeur.

Ces sensations s'accomodent si bien avec la séduction – mais aussi l'étincelle des yeux des plus farouches…

C'était le vin favori de Madame de Pompadour, qui en " connaissait un rayon " sur la question.

On lui attribue même la forme des coupes de champagne anciennes, qui auraient été façonnées sur la forme de ses seins !

❤ Le champagne inspire les amoureux

Au XVIIᵉ siècle, les bulles du champagne, qui venait de naître, inspirèrent les amoureux. Cette boisson des dieux est restée, même de nos jours, associée à la fête amoureuse.

Sa consommation s'impose donc en galante compagnie. Casanova, l'impitoyable séducteur, faisait boire du champagne à ses conquêtes pour qu'elles tombent dans ses filets. Voici ce que sa jeune maîtresse lui écrivit pour l'attiser : " *tu ne saurais t'imaginer, mon cher ami, comme nous sommes devenues folles après le punch au vin de champagne* ".

La marquise de Pompadour, qui était réputée pour sa frigidité, éveillait sa libido somnolente en buvant du champagne après avoir pris un bain d'ortie.

Les favorites de Louis XV savaient comment faire succomber leur royal amant : en lui servant du champagne !

Napolélon en était aussi un inconditionnel : " *je ne peux pas vivre sans champagne. En cas de victoire, je le mérite. En cas de défaite, j'en ai besoin* ".

Enfin, à défaut d'être un moyen de séduire, ou du moins de faciliter la séduction en éveillant la joie et la bonne humeur, il se pourrait que le champagne reste un moyen de guérir les affres du cœur.

C'est un remède à la maladie d'amour, dit-on, un moyen de consoler ou de réconcilier, comme le prouve Godard d'Aucour dans *Thémidore* : " *Ce fut du fond d'une bouteille de champagne que sortit la réconcillation entre des personnes qui se disaient ennemies des sens* ".

♥ Des bulles pétillantes de gaiété

Plaisir de la table, le champagne entre de fait dans tous les préparatifs aux plaisirs de l'amour. Comme d'ailleurs aux grands moments de la vie, tant sa charge symbolique, même atténuée et institutionnalisée, demeure très forte.

Par sa réputation de boisson festive et luxieuse, le champagne a la réputation de réveiller les amants fatigués. D'emblée, il évoque les femmes et la frivolité. Les fumés et les vapeurs qu'il dégage animent l'ambiance des soirées d'une légèreté et d'un pétillement qu'il ne s'agit pas de confondre avec une autre boisson.

Le champagne s'entend… Le bruit d'un bouchon qu'il ne faut pas forcer, la danse des bulles qui montent et s'égaillent, composent aux oreilles des amants une symphonie unique, d'une élégance auditive incomparable.

Enfin, cette boisson étonnante agit sur certains centres du cerveau en les désinhibant et favorise ainsi les rapprochements amoureux !

❤ Conseils d'utilisation

- Si l'élu de votre cœur ne se laisse pas facilement séduire, n'hésitez-pas à sortir une bouteille de champagne et à l'ouvrir devant lui ou devant elle. L'effet est garanti !

- Attention ! Le champagne se sert frais et pas glaçé. Proscrivez toujours le congélateur qui tue les arômes et saveurs. Plongez plutôt la bouteille que vous venez de remonter de votre cave dans un seau à champagne rempli au 1/4 d'un mélange d'eau et de glaçons. Sinon, le réfrigérateur trois ou quatre heures avant de la servir. Vous pouvez même la laisser plus longtemps, à condition que la température reste constante : cela permet d'avoir toujours une bouteille au frais !

❤ Le Chocolat ❤

Dans son " Traité des aliments " en 1702, Louis Lemery précise à propos du chocolat que " ses propriétés stimulantes sont propres à exciter les ardeurs de Vénus " !

Depuis ses origines, le chocolat est porteur d'une image d'aphrodisiaque puissant. Dès la période aztèque, Moctézuma consommait un mélange de cacao, de vanille et de miel, refroidi avec la neige des montagnes avoisinantes. Il prétendait que cette boisson l'aidait à conserver la virilité dont il avait besoin pour satisfaire ses nombreuses épouses et concubines.

Plus tard, le chocolat fut importé en Europe comme aphrodisiaque. La grande période des courtisanes lui donne alors ses lettres de noblesse. Madame de Pompadour, la comtesse du Barry en font grande consommation et ne manquent pas, dit-on, de servir une bonne tasse de chocolat mousseux à leurs amants !

Les recherches biologiques menées sur cet aliment laissent penser que ses arômes, lorsqu'ils ne sont pas falsifiés, présentent des effets excitants et agissent à la manière des parfums de truffe qui charment directement le centre de l'odorat et de l'émotion : " Un nuage de désir se dessine aussitôt et pousse l'audace au zénith, sous l'alchimie des hormones et des neurotransmetteurs libérés. Alors, les sentiments bouillonnent et mettent l'imagination au service du corps envoûté ".

Aujourd'hui, le terme aphrodisiaque n'est plus de mise, on parle plus volontiers, d'aliment tonique, de plaisir, de douceur, de volupté…

Alors, le chocolat, complice de l'amour ? Certainement…

♥ Le chocolat, sortilège de l'amour

Originaire d'une région tropicale d'Amérique du Sud, la culture du cacao date de 4000 ans avant J.-C. Les indiens connaissaient les vertus thérapeutiques de sa fève et consommaient le cacao sous forme liquide.

Les Mayas l'introduisent au Mexique au XVIIᵉ siècle avant J.-C. et lui attribuent une vertu religieuse puisque la boisson de cacao était censée les nourrir même par delà la mort. Les Aztèques firent de même. La légende voulait que le dieu Serpent à plumes récompensa l'acte héroïque, le courage et la fidélité d'une princesse aztèque en donnant à son peuple le cacaoyer. Cette princesse, dont le mari était parti défendre les frontières de l'empire, fut tuée pour avoir refusé de révéler l'endroit où était dissimulé le trésor. Du sang versé, naquit la cacaoyer " dont les fruits cachent un trésor de graines amères comme la souffrance, fortes comme la vertu, rouges comme le sang ".

Boisson divine, le cacao donnait lieu à de nombreuses cérémonies religieuses. Ses propriétés bienfaisantes et aphrodisiaques furent alors également reconnues. On raconte que les Aztèques en consommaient parce qu'ils pouvaient voyager toute une journée sans fatigue et sans avoir besoin d'autre nourriture.

Mais, sa production était insuffisante et les plantations trop éloignées des centres urbains, sa consommation était réservée aux seuls dignitaires de l'empire aztèque.

L'empereur Moctézuma en fut un très grand et fidèle consommateur. Il buvait jusqu'à cinquante tasses par jour lorsqu'il se préparait à aller visiter son harem ! On apprit aussi que chaque année, le Dieu du Cacaoyer exigeait des Incas des orgies collectives pour que les fèves soient plus belles !

En 1585, quand le " breuvage du grand Inca " arriva en Espagne, on se précipita pour savoir à quoi ressemblait cet aliment qui, disait-on, portait furieusement à l'amour.

Affreuse déception : c'était âcre, amer et piquant. Le pape Clément VIII demanda à des nonnes de travailler le produit pour le rendre comestible. Elles y incorporèrent du miel, de la vanille et de la crème, faisant naître ainsi, le chocolat.

Lorsqu'il arrive en France, il suscite des avis partagés. Madame de Sévigné, par exemple, en vante les vertus mais aussi se fâche contre lui. Voici ce qu'elle écrit à sa fille dans sa correspondance : " *Mais vous ne vous portez point bien, vous n'avez point dormi : le chocolat vous remettra* ", puis quelques mois plus tard : " *Je veux vous dire, ma chère enfant, que le chocolat n'est plus avec moi comme il l'était, la mode m'a entraîné, comme elle le fait toujours : tous ceux qui m'en disait du bien, m'en disent du mal. On le maudit, on l'accuse de tous les maux, il est la source des vapeurs et des palpitations. Il vous flatte pour un temps et puis allume tout d'un coup une fièvre continue qui vous conduit à la mort* ".

Les favorites de Louis XV, mesdames de Pompadour et Du Barry usèrent du chocolat pour des raisons différentes : la première pour " s'échauffer le sang " puisque le roi la juge " froide comme une macreuse ". On raconte qu'elle se gavait de soupes de truffes et de céleri arrosées de tasses de chocolat ambré ! La seconde pour en offrir à ses amants.

A cette époque, de nombreuses gravures montrent en effet des scènes où l'on peut voir des couples dégustant du chocolat chaud. En 1750, Martin Engelbrecht grava une illustration représentant un couple amoureux et dont la femme vante les vertus aphrodisiaques du chocolat : " *Voici un breuvage venu des mondes lointains, excellemment choisi sans doute pour l'amour intime. Il excite le courage et renouvelle la vigueur. Bois-en mon amour et j'en profiterais aussi. Je te l'offre avec mon cœur, car nous devons donner encore des héritiers au monde à venir* ".

Grand consommateur de femmes et de chocolat, Casanova nous

renseigne aussi sur les rapports bien peu " catholiques " que l'on pouvait entretenir avec ce diabolique plaisir. Le chocolat lui sert de préambule à toute sérieuse conversation, ou tractation avec la gente féminine. Toutes y succombaient !

En ces temps de libertinage érigé en art de vivre, les propriétés du chocolat sont portées en exergue si bien qu'on le réservait aux adultes et que l'on en versait qu'en doses homéopathiques aux enfants !

Enfin, passons au faits : que contient réellement cette mystérieuse denrée pour pouvoir susciter autant de fascination ?

♥ Des vertus psycho-sensuelles

Tantôt paré de tous les maux, tantôt de toutes les vertus (euphorisant, stimulant, anti-stress, aphrodisiaque), les scientifiques viennent de réhabiliter le chocolat. Chez les rongeurs, il serait protecteur des cancers, des maladies cardio-vasculaires, de l'ostéoporose et encore des maladies inflammatoires !

Le chocolat renferme des substances au pouvoir exceptionnel qui flattent directement le sens de l'odorat et de l'émotion. Les travaux du docteur Michael Liebowitz, à l'Institut de psychiatrie de New York, ont prouvé que certaines de ses substances existent dans le cerveau et ont pour rôle d'éveiller les sensations. Le chocolat est donc un relais pour intensifier les états… d'âme.

Aussi, le chocolat est l'aliment plaisir santé par excellence. Il est une source précieuse de magnésium, indispensable au bon fonctionnement du système nerveux et sa teneur en sels minéraux n'est pas négligeable. Bref, il est tonique, anti-stress, euphorique et stimulant.

Le chocolat contient des substances chimiques toniques appelées méthylxanthines, dont les principales sont la théobromine, la caféine, la phényléthylamine et la sustanine.

Ces méthylxanthines ont des actions psycho et cardio-stimulantes, diurétiques et vasodilatatrices.

La théobromine stimule les muscles lisses, les fonctions rénales et améliore les performances musculaires. Elle agit également en accélérant la transmission de l'influx nerveux et en diminuant le temps de réponse lors de la stimulation des nerfs périphériques.

La caféine accroît la vigilance, améliore les performances, stimule la perception visuelle, augmente la résistance à la fatigue et la période d'efficacité intellectuelle.

La phenylethylamine a une structure proche d'une amphétamine. Elle a des propriétés psycho-stimulantes et, administrée de façon chronique chez le rat, provoque l'augmentation du taux de noradrénaline dans l'hypothalamus. En clair, son rôle de neuro-transmetteur a un effet antidépresseur.

La sérotonine est abaissée au cours des dépressions nerveuses. Or, le chocolat en contient naturellement. La caféine et le sucre qu'il renferme stimulent également la sécrétion de sérotonine par l'organisme, corrigeant ce trouble chimique initial.

Il faut savoir que les propriétés stimulantes du chocolat se font moins sentir lorsque le chocolat est édulcoré. Au temps des Aztèques, le chocolat pouvait avoir des effets très puissants, à la limite de l'hallucinogène, parce qu'ils n'ajoutaient pas de sucre.

♥ Des vertus euphorisantes

Le chocolat a le pouvoir de faire secréter par l'organisme des endorphines, substances qui ont un effet qui rappelle celui de l'opium et qui procurent un sentiment de bonheur et un effet euphorisant. Cet effet est renforcé par l'action de la caféine.

Voilà peut-être une deuxième raison pour laquelle le chocolat procurerait autant de plaisir lors de sa dégustation !

Il apporte en plus douceur et réconfort. Alors si vous en manquez quelque peu, n'hésitez-pas à en croquer un ou deux carrés, ou la plaque si nécessaire !

On comprend maintenant mieux pourquoi les amoureux déçus, les amoureux tout court, les hédonistes, les stressés et les sportifs se délectent de chocolat.

♥ Autres vertus bienfaisantes

* Plusieurs études ont mesuré l'influence des lipides du chocolat sur le taux de cholestérol sanguin, tant chez les animaux que chez les hommes. Les conclusions de cette étude ont montré que le cholestérol contenu dans le chocolat possède une faible incidence sur la cholestérolémie. Parmi les acides gras insaturés, l'acide stéarique est majoritaire. Il serait transformé par l'organisme en acide oléique. Ce dernier, acide gras mono-insaturé, a pour effet de diminuer le cholestérol. De plus, les phytostérols contenus dans le chocolat gênent l'absorption du chocolat.

* Le chocolat est l'allié des spasmophiles qui souffrent d'une hypersensibilité au stress, due, entre autre, à une mauvaise assimilation du magnésium au niveau cellulaire. Pour compenser, il doivent augmenter leurs apports. Grâce à son taux de magnésium (plus de 100 mg/100 g) et à ses substances apaisantes, le chocolat peut aider à prévenir les crises.

* C'est aussi un stimulant intellectuel d'exception. Grâce à la caféine et à la théobromine, qui favorisent les performances intellectuelles, il donne un coup de pouce à nos méninges. Sa richesse en magnésium, qui intervient dans le fonctionnement des neurones, renforce encore ses qualités psycho-stimulantes. A consommer en période d'examen ou de surcroît de travail.

- Grâce à la présence de polyphénols (substances qui renforcent les parois cardio-vasculaires), le chocolat préviendrait aussi des maladies cardio-vasculaires.

- Le chocolat est un anti-caries par sa contenance en tanins, phosphates et en fluor. Par contre, la présence de sucre dans le chocolat peut réduire cette action bénéfique. Il est donc préférable de choisir des chocolats noirs.

- Une consommation régulière et raisonnable de chocolat, intégrée dans une ration appropriée au poids de forme, ne fait pas grossir. Le chocolat peut même s'envisager dans le cadre d'un régime hypocalorique, à condition que l'apport énergétique de l'ensemble de la journée soit approprié.

- Le cacao contient de la bêta carotène, des vitamines B1, B2, B5, B6, PP et B9, mais surtout de la vitamine E qui agit contre le vieillissement. En effet, une plaquette de chocolat apporte plus de trente-cinq pour cent des besoins recommandés en vitamines E. Mangez donc du chocolat pour rester jeune !

❤ Conseils d'utilisation

- Pour bénéficier des effets psycho-stimulants et thérapeutiques du chocolat, il vaut mieux consommer du chocolat noir. Pour mériter son appellation tout à fait officielle, le chocolat noir doit contenir au moins cinquante pour cent de cacao. Vérifiez bien l'étiquette !

- Prudence avec les tablettes de chocolat commercial qui ne renferment pas suffisamment de pâte ou de beurre de cacao pour être considérées comme du chocolat. Le beurre de cacao est souvent remplacé par d'autres gras végétaux comme l'huile de palme ou le beurre de karité. Quant au lustre, il provient de l'ajout de paraffine.

- Un chocolat chaud avant d'aller au lit vous aide à mieux dormir et pas à mieux faire l'amour. Cependant, une boisson de cacao, de miel et de vanille diluée dans l'eau vous prépare aux plaisirs de l'amour.

- Avant de boire votre cacao fumant, déposez-y délicatement un morceau de chocolat noir qui flottera sur le dessus. Ainsi, vos lèvres sentiront d'abord le goût crémeux du chocolat fondant, puis le goût mordant du cacao amer, et enfin, la douce caresse du miel. Invitez votre partenaire à se délecter de la même préparation.

- Lors d'un dîner en amoureux, flattez le sens de votre partenaire en disposant quelques bougies au parfum chocolat-cannelle. Résultat garanti !

♥ La Coriandre ♥

Les Grecs préparaient la coriandre sous la forme d'un " vin d'amour ".

Les grains broyées avaient des vertus stimulantes, et rendaient les vins capiteux.

On pouvait aussi utiliser les huiles essencielle de coriandre, considérées comme un stimulant érotique féminin, que l'on pouvait également prescrire dans le cas de troubles comme la migraine, dans les phases de fatigue, d'abattement, pour ses vertus dynamisantes.

Cette épice euphorisante, qui fait " tourner la tête ", est à rapprocher du cumin, utilisé comme aphrodisiaque dans la médecine ayurvédique.

Au XVIIe siècle, Du Four de Crespelière déclare dans ses " Poésies amoureuses " à propos du coriandre :

" L'on tient qu'elle rend plus paillards les jeunes gens et les vieillards " !

♥ La coriandre, " épice de chambre "

Au Moyen Âge, la coriandre fit partie des " *épices de chambre* " que l'on dégustait après le repas. A cette époque, offrir une infusion de coriandre à ses invités était une marque de prestige tant son coût était élevé.

Bref, si l'on avait abusé de la bonne chair, les graines de coriandre étaient conseillées pour continuer son dîner d'amoureux en pleine forme…

Jadis, les Egyptiens l'employaient déjà pour augmenter la quantité de sperme et les Grecs pour rendre leur vin plus capiteux et euphorisant.

Pour les femmes, la petite graine de coriandre séchée entraînerait des fous rires incontrôlables. Platine de Crémone la faisait macérer dans du vin doux en recommandant ne ne pas en abuser sous peine de ressentir, en ce qui concerne les messieurs, les effets contraires !

❤ Douce et rééquilibrante épice...

Cette épice euphorisante qui " fait tourner la tête " agit sur la libre circulation du sang, ce qui le rend plus fluide, le raffine, élimine les toxines.

Elle a une action sur la dilatation des vaisseaux, chez l'homme comme chez la femme. Elle détend le corps des deux partenaires, sans diminuer leur désir, et les rend plus perméables l'un à l'autre, plus disponibles.

Sa puissance aphrodisiaque est en même temps un rééquilibrant nerveux, qui élimine le stress.

❤ Autres actions bienfaisantes

• Dans certains pays chauds, on a l'habitude pour préserver les viandes crues, de les recouvrir d'un mélange de graines de coriandre, de sel et de poivre noir. Cette coutume a sa raison d'être : les graines de coriandre contiennent une essence, le coriandrol qui lutte contre la prolifération des toxines, notamment celles qui pullulent à la surface de la viande et qui la détériorent.

• La coriande aide aussi à la digestion. On peut l'utiliser pour soigner aérophagie, spasmes, digestion pénible et ballonnements.

• Enfin, elle aide les femmes au cycle difficile à passer ces quelques jours du mois sans souffrance, sans mauvaise humeur et sans migraine.

♥ Conseils d'utilisation

• Pour une infusion : une cuillerée à café de semences par tasse d'eau. Faire bouillir et infuser dix minutes. Prendre une tasse après chaque repas. Cette infusion permet de lutter contre la fatigue chronique.

• Pour tonifier les muscles, vous pouvez procéder par un massage à base d'essence de coriandre.

• La coriandre peut aussi relever le goût de vos jus de légumes. Pensez-y !

• Enfin, sachez que mâcher de la coriandre fraîche, rafraîchit l'haleine.

❤ Le gingembre ❤

La racine de gingembre est considérée depuis longtemps comme un des meilleurs remèdes naturels pour stimuler l'activité sexuelle et régénérer le corps en état de faiblesse. En chinois, il signifie " virilité ", c'est tout dire.

Les Romains de l'Antiquité l'adoraient. Les prêtresses de Bacchus le consommaient avec du vin et d'autres substances capables de sublimer leur désir. Elles l'utilisaient également dans les Termes en se lavant avec des décoctions et des baumes de gingembre qui, disait-on, rendaient la peau attractive !

Plus tardivement, l'école de médecine de Salerne au XIVᵉ siècle revendique son pouvoir attractif sur les sens :

*" Au froid de l'estomac, des reins et des poumons,
le gingembre brûlant s'impose avec raison,
éteint le soif, ranime, excite le cerveau
En la vieillesse éveille amour jeune et nouveau ".*

Aujourd'hui, le gingembre est reconnu comme aliment fortifiant et stimulant par la pharmacopée française. On le prescrit souvent pour améliorer l'état général ou encore les performances sexuelles.

❤ Une plante destinée à éveiller les sens

Cultivé en Chine, au Japon et aux Indes depuis la nuit des temps, le gingembre était employé aussi bien en cuisine qu'en pharmacopée.

Déjà apprécié des médecins grecs, puisque Dioscoride le citait comme plante aromatique médicinale, le gingembre, introduit en Europe du Nord par les Romains, fait partie des épices qui firent fureur dans la grande cuisine médiévale de tous les pays de l'Occident chrétien et donnèrent naissance à un commerce au long cours intense et prospère avec l'Orient pendant des siècles.

A l'université de Salerne, en Italie, quelques chercheurs ont étudié les répercussions du gingembre sur les sens. Ils déclareront plus tard que tout individu ayant dépassé l'âge tendre devait consommer régulièrement du gingembre pour aimer et être aimé comme du temps de sa jeunesse !

Encore de nos jours, cette plante est utilisée dans le monde arabe pour aviver la fièvre charnelle. Selon Avicenne, le médecin perse du monde arabe, elle est parfaite pour les femmes éprouvant des difficultés dans l'amour.

Au Sénégal, les femmes se font une ceinture avec des tubercules de gingembre afin d'exciter la vigueur sexuelle de leur mari ou procurer un surcroît de plaisir à leur partenaire.

Enfin, pour la médecine ayurvédique, le gingembre attise le feu intérieur. Cette connotation sexuelle est liée à l'apparence de sa racine qui ressemble étrangement à un petit homme. Plus scientifiquement, son action vasodilatatrice agit sur les organes du petit bassin et ses vertus reconstituantes sont évidentes.

❤ Un philtre d'amour reconnu

Des expérimentations cliniques menées sur la racine de gingembre dans le traitement de l'impuissance ont montré qu'elle favorisait la spermatogenèse, et stimulait l'activité rénale provoquant mécaniquement une meilleure érection.

En 1944, des études scientifiques ont démontré que ce rhizome contenait une substance échauffante appelée gingérol, ainsi qu'un hydrocarbure végétal, très rare dans la nature, le zingibérène.

On comprend mieux, dès lors, expliquent les docteurs Ky et Douard que *" les capacités du gingembre à allumer la passion, provoquent un afflux brutal de sang vers l'organe et créent des bouffées de chaleur qui illuminent le corps et les sentiments "*. De plus, le parfum envoûtant du gingembre entraîne des sensations excitantes et euphorisantes.

Enfin, par son action redynamisante et anti-fatigue, le gingembre permet indirectement de retrouver une sexualité harmonieuse : quoi de plus naturel en effet, puisque étant moins fatigués, nous tendons tout naturellement à nous épanouir davantage dans notre vie sexuelle ?

Aujourd'hui, cette racine est omniprésente dans les pharmacies, parapharmacies et magasins de produits naturels. Prenez soin de choisir des produits présentant une AMM (autorisation de mise sur le marché), certains fabricants ayant commercialisé des spécialités à base de gingembre aux effets purement hypothétiques.

♥ Combat le stress et le surmenage

Le gingembre a des propriétés adaptogènes (il aide l'organisme à lutter contre le stress) et tonifie le système nerveux.

Cette plante est donc particulièrement conseillée pour lutter contre la faiblesse générale, la grande fatigue due à un état de tension prolongée, la faiblesse due à une maladie chronique et elle favorisera la convalescence.

On peut également la prescrire en cas d'asthénie avec perte de concentration, de mémoire, et pour les troubles du sommeil.

❤ Autres actions thérapeutiques

- Des études récentes ont montré que le gingembre présentait la même structure chimique que l'aspirine. De ce fait, consommer régulièrement du gingembre provoquerait l'inhibition de la production d'une substance chimique, la thromboxane, qui joue un rôle fondamental dans le processus de coagulation.

- Des recherches tentent aujourd'hui d'employer le gingembre dans la lutte contre l'artériosclérose ou tout au moins contre les élévations inquiétantes du taux de cholestérol et des triglycérides… Et la recherche continue.

- S'il vous arrive de souffrir du mal des transports, pensez à prendre sur vous quelques gélules de gingembre. Il s'agit actuellement du meilleur remède connu contre les nausées et le mal de mer.

- Si vous êtes sujet à des migraines, absorbez le tiers d'une cuillerée à café de gingembre frais ou en poudre.

- Enfin, le gingembre est utile pour apaiser les troubles gastriques courants.

❤ Conseils d'utilisation

- Préférez le gingembre en provenance d'Afrique ou d'Inde. Il est pourvu d'un plus grand pouvoir thérapeutique que le gingembre originaire de Jamaïque.

- Pour bénéficier des propriétés thérapeutiques du gingembre, il vaut mieux l'utiliser frais car il est plus actif que le tubercule séché.

- Le fait de râper le gingembre frais permet de libérer davantage de jus, particulièrement riche en principes thérapeutiques, que s'il est coupé ou haché menu.

• Divers comprimés et gélules sont disponibles dans le commerce, mais de qualité variable. Assurez-vous, répétons-le, de choisir des produits présentant une AMM. On trouve également des racines sèches ou fraîches dans les supermarchés asiatiques.

• De nombreux produit à base de gingembre sont en vente : thés, élixirs, toniques. Avant d'acheter ces préparations, notamment les toniques, vérifier qu'elles contiennent une quantité de plante suffisante.

• N'hésitez pas à utiliser le gingembre comme condiment ou épice, il rehausse agréablement de nombreuses préparations (et sa teneur en sodium lui permet de relever la saveur des plats sans sel). Il stimule les sécrétions digestives et peut faciliter la digestion.

♥ Le ginseng ♥

Cultivé depuis des millénaires en Chine et en Corée pour sa racine appelée " fleur de vie ", le ginseng a acquis dans ces pays la réputation de panacée universelle et d'élixir de vie procurant une virilité éternelle.

Devenu l'un des aphrodisiaques les plus réputés d'Occident, il doit ses propriétés à des substances actives appelés ginsénosides, qui agissent sur les glandes cortico-surrénales, ce qui entraîne une action stimulante sur les organes sexuels.

La racine de ginseng peut être additionnée à d'autres plantes et son effet s'en trouve multiplié. Elle est toutefois toxique à très hautes doses. Les Chinois et les Tibétains des hauts plateaux connaissaient depuis longtemps ses vertus, car elle stimule l'organisme, elle protège aussi le corps en produisant un bouclier immunitaire.

Le roi Louis XIV, dont l'appétit sexuel était aussi développé que l'appétit tout court, s'est intéressé de près au ginseng. Il faut dire, qu'après des repas qui durent plusieurs heures, la sieste n'était pas aussi tonique qu'il l'aurait souhaitée !

Toutefois, le ginseng remet le roi sur pied : il recommence ses prouesses de jeune homme et son succès à la cour est immédiat !

♥ La plante de le force

Les Chinois utilisent les racines de ginseng depuis près de deux mille ans. Le mot Gin-Seng est formé à partir de deux lettres chinoises qui décrivent la partie inférieure du corps humain.

En effet, le ginseng ressemble à un tronc avec deux jambes, parfois écartées, parfois entrelacées. Cette ressemblance avec l'homme peut induire des phénomènes psychosomatiques, par exemple lorsque nous croyons que cette racine est faite exactement pour l'homme, et qu'elle peut régler nos problèmes dans leur globalité.

Pour cette raison, la composante magique, ou plus exactement psychosomatique, ne doit certainement pas être écartée, parmi ses vertus thérapeutiques.

Encore aujourd'hui, les racines sauvages peuvent atteindre des prix astronomiques quand elles sont anthropomorphes ou de forme phallique. Elles seules sont de véritable " remède du renouveau " et possèdent un effet préventif !

Pendant des siècles, les racines de ginseng furent ainsi recherchées pour leurs vertus tonifiantes. Afin de se les procurer, le Chine tenta à maintes reprises d'envahir la Corée, pour s'assurer l'approvisionnement de ces racines de longue vie.

Tout au long de la longue histoire de la Chine, bon nombre d'empereurs prirent du ginseng dans l'espoir d'assouvir tant bien que mal les milles concubines de la Cité Interdite !

Le ginseng était considéré comme racine du ciel, vénérée rituellement dans toute l'Asie orientale. Les plus anciennes légendes affirment même que consommer la racine de ginseng donne la vie éternelle : " *Au bout de trois siècles, la racine est devenue un être à forme humaine qui se dresse hors de terre. Il prend sa place entre terre et ciel. Son sang est blanc. En boire donne vie et santé éternelle* ".

Un reste de mystère persiste, qui nous permet de rêver au ginseng comme à la panacée dont parlent les contes et légendes de la Chine ancienne.

♥ Un puissant stimulant du système hormonal

Il a été prouvé que lors d'un effort physique, le ginseng abaisse le taux d'acide lactique et augmente l'absorption cellulaire en oxygène, ce qui a pour effet de décontracter et de restaurer plus rapidement les muscles.

Il diminue le rythme cardiaque et régularise la tension artérielle. Stimulant du système nerveux, le ginseng est un défatiguant et par conséquent, un aphrodisiaque. Sa richesse en vitamines (B1, B2, B3, B5), oligo-éléments et sels minéraux (zinc, manganèse, calcium, fer, potassium, iode et sélénium) en fait un allié de choix en cas de fatigue sexuelle.

Puissant stimulant du système hormonal grâce à ses principes actifs appelés ginsénosides, il entraîne d'emblée une action excitante sur les organes sexuels.

Dans l'industrie des aliments naturels, le ginseng sibérien est souvent utilisé comme adaptogène c'est-à-dire qu'il aide l'organisme à combattre le stress alors que la panax est utilisé comme tonique général.

Préférez le ginseng rouge car sa couleur symbolise la force, la puissance et la sexualité. Il paraît qu'après en avoir mangé abondamment, un homme peut honorer dix femmes !

♥ Un tonique naturel extraordinaire

Le ginseng est une des meilleures plantes toniques souvent indiquée dans les cas d'asthénie, de dépression, de fatigue physique ou intellectuelle.

Mais aussi comme dépuratif, apéritif, antalgique qui peut réduire les douleurs rhumatismales. Ces possibilités d'intervention sont multiples. On peut l'utiliser lorsque l'on se sent fatigué, mais aussi quand on manque d'appétit, dans le cas de rhume, fièvre ou pleu-résie, ainsi que dans de nombreux troubles de nature psychoso-matique.

Stimulant, régénérant, revitalisant et tonifiant, cette plante a la réputation de freiner le vieillissement de l'organisme, d'où son sur-nom de racine de " longue vie ".

Elle permet aussi bien de combattre les effets négatifs de l'âge et son cortège de douleur que de renforcer les défenses immunitaires devant certaines attaques extérieures.

Enfin, au lieu de consommer des excitants tels que le café ou le tabac, il serait plus simple de remplacer ces substances par des sti-mulants authentiques tel que le ginseng. Ce dernier agit sur le moyen et long terme mais assure une vitalité équilibrée, et permet au corps de fonctionner à plein rendement.

♥ Autres indications thérapeutiques

- Le ginseng agit sur tout le système nerveux central, stimulant et relaxant le cortex, et augmentant la mémoire et la concentration.
- Il régularise les fonctions métaboliques et protège le métabolis-me contre divers toxines. Cette action peut être considérée comme anti-stress.
- Il augmente aussi la quantité de globules rouges, élimine les toxines du foie, diminue le cholestérol, équilibre les rythmes car-diaque et respiratoire.
- On peut l'utiliser en cas d'artériosclérose, de vertiges, de bour-donnements d'oreilles ou de maux de tête.

♥ Conseils d'utilisation

• Selon la médecine traditionnelle chinoise, la meilleure façon de prendre le ginseng consiste à découper finement quelques lamelle d'une bonne racine d'au moins six ans d'âge, de les ébouillanter en versant dans un récipient en grès l'équivalent d'un bol d'eau chaude, de mettre le tout au bain-marie durant six heures, et de consommer le matin au réveil et le soir au coucher, pendant au moins une semaine, ou, au plus, quatre ou cinq mois.

• On peut opter aussi pour la méthode occidentale, plus pratique et moins poétique. Elle consiste à verser une vingtaine de gouttes de teinture-mère de ginseng dans un verre d'eau, et de prendre cette boisson trois fois par jour pendant un ou deux mois.

• Vous pouvez vous procurer des préparations à base de ginseng dans de nombreux magasins diététiques. Toutes ne sont pas excellentes et il est important de veiller à la provenance du produit et de son contenu. Préférez les préparations à base de bon ginseng (racine entière de six ans d'âge au moins) en évitant les poudres, les comprimés ou les gélules.

• Le ginseng est souvent associé à du pollen ou de la gelée royale, à d'autres plantes immunostimulantes (échinacée, shii-také, éleuthérocoque, kola...), circulatoires (ginkgo), à des stimulants hormonaux (sauge, cassis) ou bien encore à des vitamines (C ou du groupe B). Autant de manières de potentialiser le ginseng.

• Une consommation excessive de ginseng peut provoquer des effets secondaires, notamment quand la posologie recommandée a été dépassée. Dans le cas d'insomnie, d'hypertension, de diarrhées, de nervosité, il faut revenir à des doses plus raisonnables. Il est déconseillé de prendre du ginseng en cas d'ulcère à l'estomac.

♥ Le girofle ♥

Ce merveilleux petit clou subtilement parfumé est entouré d'une multitude de légendes.

Au Moyen Âge, on disait que jardin du paradis et jardins d'amour regorgeaient des parfums entêtants ou excitants de la cannelle, de la muscade, du gingembre et du clou de girofle.

Ces épices pouvaient faire descendre le paradis sur terre, et, pour les amants, elles étaient le gage de leur attirance mutuelle.

Durant des siècles passés, on attribua des vertus aphrodisiaques à cet aromate.

En 1761, Lemery dans sa Pharmacopée universelle, écrit à propos des vertus du clou de girofle :

" Elles réjouissent et fortifient le cœur, excitent la semence " !

♥ Un petit clou qui cultive les sens

Pour les Grecs et les Romains, le girofle constituait l'un des composants rituels traditionnels du produit purificateur du corps et de l'autel. A Rome, cette épice parfumait les vins de fêtes, et surtout ceux qui étaient abondamment déversés lors des orgies.

Les amoureux motivés, embarrassés par une puissance douteuse se jetaient alors sur le fameux vin chaud de girofle !

Selon la légende, Jules César avalait aussi une liqueur à base de girofle avant de s'unir à la somptueuse et charmante Cléopâtre.

Le grand maître de l'art d'aimer oriental en fait mention et à Constantinople, des pilules d'amour à base de clous de girofle étaient vendues à la criée dans les rues de la capitale de l'Empire Byzantin.

Le Moyen Âge en préconisa aussi l'usage, mais modéré, parce qu'il s'agissait d'un produit précieux et onéreux réservé aux riches.

♥ **Le girofle, quand les performances laissent à désirer !**

Le girofle est connu aux Indes pour ses multiples propriétés. C'est un aphrodisiaque aussi bien qu'un remède contre la toux ou les rages de dents.

L'odeur répandue par cette épice a un effet très érotique et servirait à exciter les glandes sexuelles via les circuits nerveux.

De plus, elle est censée éclaircir l'esprit, neutraliser la fatigue et rafraîchir l'haleine. Quelle panacée pour les ébats amoureux !

Le vin chaud au girofle est bien connu pour ceux dont les performances laissent à désirer. Ce breuvage s'obtient en faisant tremper vingt clous de girofle et une noix de muscade dans un litre de vin blanc.

En aromathérapie, vous pouvez prendre deux à trois gouttes d'huile de girofle dans du miel trois fois par jour. Cette pratique permet aussi d'avoir une bonne haleine avant de s'adonner aux plaisirs du corps !

❤ Autres actions bienfaisantes

• La clou de girofle, dont le parfum très aromatique est reconnu comme analgésique, contient un antiseptique, l'eugénol, utilisé en hygiène dentaire. En bain de bouche pour l'hygiène dentaire, en fumigation pour désinfecter une pièce.

❤ Conseils d'utilisation

• Préférez des clous de girofle entier que vous moudrez au fur et à mesure de vos besoins. La poudre de girofle s'évente rapidement.
• Le clou de girofle est classiquement piqué dans un oignon dont le goût sucré modifie l'âcreté du clou. Il est utilisé pour : les pots-au-feu, les civets, la choucroute. On peut en mettre dans le vin chaud avec la cannelle : il est alors plus doux et plus tonique.

❤ Les graines et les noix ❤

*Graines et coques en tout genre, sésame, cumin, graines de moutarde
ou d'anis, noix, noix de cajou ou encore amandes ont été souvent
détournées pour satisfaire l'acte d'amour.*

*Les anciens accordèrent à ces aliments des dimensions divines et
magiques, amorçant des traditions qui perdurent.*

*Très nutritives, faciles à conserver et économiques, les graines et
les coques devraient être mieux intégrées à notre alimentation.
Elles contiennent toutes sortes de substances complexes qui produisent
des sentiments de bien-être et rendent l'humeur joyeuse !*

*Nous n'avons aucune raison de nous priver de ces concentrés
de saveur et d'énergie !*

*Ces produits naturels aident à combler des carences, ou à apporter des
nutriments essentiels à une bonne marche des fonctions sexuelles.*

❤ De l'énergie concentrée

Les graines, synonymes de reproduction, ont joué un rôle important dans la vie amoureuse des hommes. Immortalisé par les Contes des Mille et une Nuits, les graines de sésame ont joué un rôle d'aphrodisiaque dans le quotidien et le sacré depuis des temps immémoriaux.

Les graines de cumin sont aussi mentionnées à plusieurs reprise, les femmes des harems en mastiquaient avec de la cardamone et des clous de girofle et plus tard, la cuisine arabe recommandait, pour empêcher l'éjaculation précose, de manger du mouton cuit à l'anis, au cumin et au fenouil.

La moutarde, plantes aux fleurs jaunes d'où naissent les capsules contenant des graines, est l'une des épices les plus anciennes du monde. On lui confère des propriétés qui réchauffent les sens…de quoi la rendre très populaire.

Cette croyance s'est maintenue pendant des siècle et on la retrouve plus tard au Danemark. Les apothicaires faisaient fortune en préparant un mélange composé de graines de moutarde, de gingembre et de menthe que les époux en manque donnaient à leur épouse dans l'espoir de les rendre plus réceptives aux ébats amoureux.

Enfin, les graines d'anis sont réputées pour pallier l'impuissance. Egyptiens et Chinois vantaient leur talent de graines amoureuses. Aux Antilles, un alcool aphrodisiaque mélangeant anis, cannelle, citron et miel faisait merveille pour réveiller les désirs les plus assoupis !

♥ Le plaisir sous la coque

Noix, noisettes, cajou, pistaches et amandes ont été utilisées par les anciens pour stimuler la sexualité. Protégées par leur coque, elles ont été depuis très longtemps associées à l'abondance et à la fécondité.

Chez les Grecs, les noix entraient dans la composition de galettes revigorantes à base de graines de pavot et d'amande. Chez les Arabes, la pistache était utilisée pour prévenir l'impuissance masculine et contrarier les sortilèges amoureux.

Enfin, n'oublions pas la noix de cola réputée pour ses qualités aphrodisiaques. En Afrique, il n'est pas rare encore aujourd'hui que l'on demande la main d'une femme offrant des noix de cola que l'on mastique pour en retirer le pouvoir aphrodisiaque.

❤ Des aliments du système hormonal

Graines et noix contiennent toutes des substances favorables présentes à tous les stades des fonctions sexuelles. Les graines contiennent environ cinquante pour cent d'huiles polyinsaturées.

Elles constituent une excellente source de lécithine (nécessaire à la fabrication des hormones sexuelles), de vitamine E et de vitamines du complexe B, de magnésium, de potassium, de phosphore, de zinc et de manganèse.

Ces substances sont essentielles à la respiration cellulaire, au métabolisme et à l'activité enzymatique des voies génito-urinaires et de l'organisme tout entier. Grâce à la lécithine, aux protéines et aux oligo-éléments, ces graines favorisent la bonne santé hormonale et améliorent la vie amoureuse.

Quant aux noix, elles contiennent de la lysine et de la tyrosine. A partir de la tyrosine, le corps fabrique de la topamine qui donne un coup de fouet cérébral. Le magnésium contenu dans la noix de cajou combat le stress. Les noisettes et les amandes stimulent la prodcution d'endorphine.

Ces transmetteurs travaillent comme la morphine : ils produissent des sentiments de bien-être et rendent l'humeur gaie et joyeuse !

❤ Conseils d'utilisation

• Les noix contiennent plus de propriétés nutritives lorsqu'elles sont consommées crues. Les griller altère leur digestibilité.

• Ajoutez des graines et des noix à vos salades pour en faire une bonne source d'énergie. Broyez des amandes et des bananes dans du lait, ajoutez-y un peu de miel et quelques gouttes d'extrait de vanille. Buvez cette boisson et faite confiance à vos pouvoirs de séduction !

• Vous pouvez manger chaque jour une poignée de graines de citrouille fraîche. Non seulement, votre vie sexuelle s'en trouvera améliorée, mais vous n'aurez jamais de problèmes de prostate !

• Pour ceux qui ne connaissent que très peu les graines, n'hésitez pas à goûter celles d'aneth, d'anis, de melon, de citrouille, de pavot, de carvi ou de coriandre. Osez donc les tester !

❤ L' huître ❤

Les fruits de mer sont connus pour mettre du piment dans les
soirées…Les huîtres sont certainement les plus réputées.

D'ailleurs, l'expression " aphrodisiaque " vient du mythe d'Aphrodite,
la déesse grecque de l'amour née de l'écume des flots dans
la nacre d'une huître.

Beaucoup de légendes se forgèrent autour de la naissance de la déesse
et de son lieu de naissance, la coquille.

Depuis la nuit des temps, les coquillages ont été considérés partout
comme des symboles de la vulve, de l'érotisme, ainsi que de
la renaissance dans la lumière divine.

La chair des mollusques était tenue pour met aphrodisiaque, et les
coquilles qui ne rappellent que trop les organes sexuels, étaient trans-
formées en amulettes et en puissants talismans d'amour.

Aujourd'hui, on attribue leur propriété stimulante à leur teneur
élevée en iode et phosphore.

Aussi, la laitance contenue dans l'huître pourrait être responsable
d'une augmentation du désir. Casanova en engloutissait une centaine
avant d'honorer une dame !

♥ La coquille d'Aphrodite

Selon la légende, le rapprochement entre l'huître et l'amour nous vient de la civilisation grecque. Le pouvoir aphrodisiaque du mollusque apparut lorsque Aphrodite émergea de l'océan à dos d'huître et donna naissance à Eros. Depuis, on raconte qu'à la pleine lune, les huîtres sécrètent une hormone aphrodisiaque...

Les Empereurs romains qui en étaient friands payaient les coquillages à prix d'or et dépêchaient les esclaves aux abords des rives anglaises pour les recueillir.

Mais les Romains n'étaient pas les seuls à en apprécier leurs vertus. Henri IV était capable d'en ingérer plus de vingt douzaines sans être malade, et Marie-Antoinette en recevait à Versailles des fourgons entiers !

Pour Casanova, huîtres et femmes vont de concert : " *Après avoir fait du punch nous nous amusâmes*, écrit-il, *à manger des huîtres les croquant lorsque nous les avions déjà en bouche. Elle me présentait sur sa langue la sienne en même temps que je lui enfourchais la mienne...Quelle sauce que celle d'une huître que je hume de la bouche de l'objet que j'adore !* "

Plus récemment, Marco Ferreri, italien lui aussi, associe l'huître et l'érotisme. Lors d'un de leur premiers repas, les quatre héros de la *Grande Bouffe* gobent des huîtres tout en regardant des photos coquines du début du siècle !

Aiguillon de l'esprit et de l'amour, l'huître est-elle vraiment aphrodisiaque ?

♥ Des huîtres – et le cerveau fait des vagues !

Ceux qui passent leurs vacances au bord de la mer connaissent bien l'effet de ce climat plus ou moins aphrodisiaque, dû en grande partie à l'iode, un oligo-élément qui agit sur le système hormonal via la glande thyroïdienne.

Cette glande, située dans le cou, contrôle le métabolisme basal. Son insuffisance de sécrétion provoque la frilosité excessive, alors qu'une hyperthyroïdie se manifeste par une sensation permanente de chaleur.

Ceux qui sont sujets à une insuffisance d'hormones thyroïdiennes sont des personnes généralement fatiguées, léthargiques, chez qui le désir sexuel est très limité, voire les " capacités " sexuelle réduites.

L'iode est donc le principal constituant de cette hormone que l'on trouve en dose élevée dans les huîtres. Ces dernières sont aussi riches en zinc indispensable à la synthèse de l'hormone mâle : la testostérone… ce même zinc, stimule le système immunitaire (nos défenses naturelles) et dope la fertilité.

❤ Ses atouts santé

- Un aliment poids plume : riche en protéines, pauvres en graisses et en sucres, ce mollusque est tout à fait indiqué dans les régimes hypocaloriques. Cent grammes d'huîtres (soit huit huîtres de moyen calibre) n'apportent que quatre-vingt calories. De plus, elles permettent de faire le plein de minéraux, et donc de suivre sans fatigue votre cure minceur !
- Un boosteur d'immunité : grâce à son exceptionnelle teneur en zinc, l'huître participe au renforcement des défenses immunitaires de l'organisme, et prévient ainsi l'apparition des infections type rhume. Manger des huîtres en hiver permet d'augmenter sa résistance aux attaques bactériennes ou virales.
- Une mine de fer exceptionnelle : pour se nourrir, l'huître filtre des centaines de litres d'eau de mer par jour, ce qui explique sa

forte minéralisation. Elle regorge de magnésium, calcium, potassium et surtout de fer, ce qui en fait un excellent aliment anti-anémie, intéressant pour les femmes.

❤ La mer, source de désir et d'amour

" *En amour, vous le savez, les crustacés sont vos alliés* ", proclamait Brillat Savarin. La vie ayant commencé par la mer, il est donc raisonnable de penser que celle-ci contient tous les éléments nécessaires à une vie et des fonctions sexuelles saines.

L' huître n'est pas le seul crustacé à jouir d'une réputation aussi sulfureuse. D'autres, moins consommés car plus onéreux, stimulent aussi les fonctions sexuelles.

Le caviar joue par exemple un rôle dans la contraction musculaire, fonction essentielle dans l'acte sexuel et serait la substance par excellence pour traiter les cas d'impuissance. Le Kama-Sutra conseille d'ailleurs d'en consommer en grande quantité pour retrouver sa vigueur sexuelle !

Citons les algues marines, qui, outre qu'elles constituent une source sûre d'iode, sont nutritives et favorisent le rajeunissement.

Nécessaire au bon fonctionnement de la thyroïde, l'iode agit aussi comme désinfectant du système sanguin. Une personne souffrant d'une carence en iode devient léthargique : son métabolisme ralentit, elle prend du poids.

Enfin, l'iode est essentielle à la production de la thyroxine, une hormone qui contribue à équilibrer les niveaux d'estrogènes dans l'organisme.

D'autres substances marines fournissent des minéraux comme du chrome (essentiel au métabolisme du glucose), du zinc (pour fortifier le collagène et garder la peau saine), du fer, du potassium, du cuivre, du soufre, du magnésium et du manganèse.

On retrouve aussi dans les algues des oligo-éléments, qui sont importants pour assurer le bon fonctionnement du cœur.

Parmi les fruits de mer réputés, citons aussi les oursins, les écrevisses, le homard, les palourdes, les crevettes et le crabe. Tous, sans exception ont la réputation de stimuler l'activité sexuelle.

Enfin, les macérations de poissons ont aussi la réputation d'être aphrodisiaques. Le *nuoc-mâm*, par exemple, produit de la fermentation de divers poissons aurait le pouvoir d'accompagner l'amour.

Autre condiment rentré dans les mœurs, la *worcestershire sauce*, mélange aigre-doux qui serait doté d'un pouvoir excitant, qui agrémente notamment le célèbre alcool bloody mary. Cette sauce contient notamment des épices comme l'ail et le girofle.

❤ Conseils d'utilisations

- Le duo spécial libido : huître et gingembre. Les deux sont réputés aphrodisiaques. La première est riche en zinc, indispensable à la production de spermes. Les vertus tonifiantes du second donnent l'énergie nécessaire pour s'aimer jusqu'au bout de la nuit !
- Le duo vitalité : huître et citron. Riche en fer, en zinc et en vitamines B, l'huître est un dynamisant naturel. La vitamine C du citron renforce son action stimulante, et facilite l'assimilation du fer du mollusque.
- Le trio antioxydant : huître, carotte et poireau. L'huître cumule les bons points côté minéraux. Elle contient également des vitamines B et C, mais elle est totalement dépourvue de carotènes. Une julienne de légumes carottes/poireaux vient compléter efficacement les vertus anti-oxydantes de certains de ses oligo-éléments.

❤ La mandragore ❤

*Cette plante mythique et diabolique, connue dans tous les pays
qui bordent la Méditerranée, était au Moyen Âge une boisson sorcière
et un puissant philtre d'amour.*

*Erotique par la forme de ses racines, Dioscoride la nomma " plante
d'amour parce que ses racines confèrent des vertus amoureuses ".*

*Véritable remède universel dans les croyances populaires, elle était
aussi surnommée " pomme d'amour " et La Fontaine disait d'elle
qu'elle avait sur la femme plus d'effet qu'un "couvent de frères
pleins " !*

*Pourtant, il ne s'agit pas seulement d'un symbole suggestif, à cause
de la forme de ses racines. Ces dernières contiennent des substances
actives dont les effets physiologiques ont été démontrés.*

*Ils agissent comme des stimulants érotiques, sensoriels,
et en même temps lèvent les inhibitions.*

*Une teinture de mandragore est encore utilisée de nos jours en homéo-
pathie pour calmer les douleurs. La plante est néanmoins dangereuse
et n'est plus employée en médecine.*

♥ Plante diabolique et envoûtante

Depuis des millénaires les hommes ont été fascinés par la mandragore, en particulier par la forme anthropomorphe de sa racine qui lui confére une aura mystérieuse. On disait qu'elle avait une âme humaine et que le cri de douleur qu'elle jetait lorsque le chasseur de rhizomes la déterrait pouvait tuer ce dernier.

Plus tard, se développèrent des rituels d'extraction de la racine et naquirent des histoires et des légendes liées à ses pouvoirs mystérieux. Par exemple, on apprend qu'elle n'acquiert la plénitude de ses propriétés qu'en croissant au pied de la potence où elle recueille le sperme des pendus !

On disait alors que la plante naissait du " *sperme des hommes pendus en gibet ou écrasés sur les roues* ". Les frère Grimm l'ont d'ailleurs nommé " *petit homme de potence* ".

En hébreu, la mandragore a la même étymologie que le mot " amour ". Elle était d'ailleurs considérée comme un aphrodisiaque et citée dans l'Ancien Testament comme ayant aidé à la naissance d'Issachar, fils de Jacob.

Les baies de mandragore étaient appelées par les Arabes " *pommes du diable* " ou " *pomme d'amour* " en raison des rêves érotiques qu'elles provoquaient lorsqu'on en consommait. Ces baies de la grosseur d'une noix et de couleur blanche ou rougeâtre étaient symbole d'amour également en Egypte en vertu de ces mêmes qualités aphrodisiaques.

En Grèce, Vénus, déesse de l'amour, était parfois surnommée *Mandragoritis*. D'autre part, en plus de son côté aphrodisiaque, cette plante était considérée comme favorisant l'enfantement, d'autant plus qu'elle était censée naître du sperme d'un pendu.

Dans la Bible, Rachel, atteinte de stérilité utilisera les fruits de la mandragore pour pouvoir enfanter. Le culte de la mandragore est encore vivant en Roumanie ; elle y est considérée comme la plante érotique et l'aphrodisiaque par excellence : " *Elle procure amour,* *mariage et fécondité. Elle est source d'amour et de bien-être* ".

♥ Une réputation sulfureuse d'aphrodisiaque

La mandragore est mentionnée par les tablettes sumériennes de Nippur, qui sont les plus anciens documents écrits connus de médecine. Les Egyptiens l'utilisaient couramment et l'antiquité grecque la mentionne fréquemment.

C'est le cas d'Hippocrate qui la conseille pour soigner la mélancolie, l'angoisse, le stress. On l'utilisait également, à faible dose, pour favoriser le sommeil et en dose plus forte pour l'anesthésie.

Mais cette plante fut particulièrement étudiée par les scientifiques pour ses vertus de stimulant sexuel.

La racine de mandragore contient en effet des substances actives, des alcaloïdes, dont les effets physiologiques ne sont plus à prouver.

Ils agissent comme stimulant érotique et sensoriel et lèvent les inhibitions. Enfin, les alcaloïdes contenus dans les racines et dans les fruits ont des puissants effets hallucinogènes.

Attention ! A haute dose, les tisanes de mandragore, ou les morceaux de racines mâchées, peuvent devenir toxiques.

❤ La menthe ❤

Elle est présente dans les mythologies les plus reculées, depuis le jour où Pluton abandonna son royaume pour vivre auprès d'une nymphe, devenue sa favorite.

Jalouse de sa rivale, la déesse Perséphone changea la nymphe en fleur de menthe et on dit que la plante aurait reçu de son ancien amant le don d'enflammer les joutes amoureuses.

Son action déterminante n'est plus à démontrée. Elle n'incendie pas celui qui boit une ou deux tisanes.

Par contre, elle fait partie des préparations amoureuses par son parfum, et ses évocations heureuses, fraîches et luxuriantes.

C'est la menthe poivrée, appréciée pour sa finesse en essence aromatique, qui a la vedette tant en pharmacie et cosmétologie qu'en confiserie ou dans la fabrication de liqueurs et boissons, mais toutes les espèces possèdent des propriétés identiques qui leur ont valu d'être largement utilisées depuis la lointaine Antiquité.

❤ Irrésistiblement envoûtante

Le terme menthe vient du grec *minthe*, le nom d'une nymphe qui a été transformé par jalousie en fleur par Perséphone. Surnommée " tue l'amour ", la menthe apporte la stérilité, Déméter l'ayant condamné à ne plus donner de fruits.

Appliquée sur les organes génitaux féminins, la menthe, en effet, nuit à la conception. Associée à la sexualité, elle est aphrodisiaque.

Cette plante entrera donc dans les préparations de boissons aphrodisiaques, *les philtras*, dédiées à Aphrodite. Pour les Dionysies, fêtes dédiées à Dionysos, dieu du plaisir, elle était mélangée au vin et à d'autres plantes.

Quant à Pline, il recommande la menthe à ceux qui étudient, leur enjoignant de se ceindre la tête d'une couronne de menthe tressée car elle réjouit l'âme et donc est bonne pour l'esprit, mais il en déconseille l'usage aux amoureux parce que, comme Hippocrate et Aristote, il la juge " *contraire à la génération* ".

Les Grecs avaient un avis opposé : ils interdisaient à leurs soldats de manger de la menthe car, disaient-ils, elle incite tant à l'amour qu'elle diminue le courage !

Culpeper en 1563 la surnomma " *herbe de Vénus* " prétendant qu'elle " *éveillait le désir sexuel* " !

En Océanie, cette plante magique pouvait être associée à des rituels particuliers de séduction. En se frottant les mains avec de la menthe, un prétendant peut espérer séduire la femme qu'il convoite, simplement en la touchant.

♥ La menthe associée aux jeux de l'amour

Il est un fait certain : elle régularise les fonctions sexuelles des hommes comme des femmes, mais de plus, elle favorise les jeux de l'amour.

Est-ce dû à son parfum troublant et entêtant ? Certainement, son action est revitalisante sur l'organisme ce qui lui donne le pouvoir de réveiller les passions du corps et celles du cœur.

D'autre part, l'huile essentielle de menthe fait partie du palmarès des huiles qui favorisent au mieux les rapprochements. Grâce à son essence, le menthol, elle agit sur le métabolisme, vient bouleverser l'endormissement de quelques milliards de neurones, et ramène le plaisir.

En infusion, à raison d'une dose de menthe pour deux doses de sarriette, l'association entre deux des plantes renforce leur pouvoir aphrodisiaque.

♥ Un formidable stimulant général

Sur le plan de la sexualité, la menthe est un formidable stimulant général sur l'organisme. Elle agit à la fois sur les nerfs et sur les muscles et sa première qualité est de rendre l'énergie aux organes fatigués.

Que vous soyez convalescent, que vous rentriez d'un travail épuisant ou que vous vous sentiez tout simplement patraque, une boisson parfumée à la menthe vous rendra immédiatement un peu de votre forme perdue.

Enfin, tonique pour le système nerveux, elle redonne la vivacité mentale, de la concentration et de la mémoire. Calmante, elle fortifie l'esprit et combat le surmenage ou l'épuisement intellectuel.

♥ Autres vertus thérapeutiques

- La menthe est une alliée fidèle du système digestif. Elle combat les crampes d'estomac, l'aérophagie, les nausée, elle aide à la libération des gaz intestinaux et stimule le foie.
- C'est aussi un antiseptique. Elle nettoie et peut dégager la sphère ORL lors de catarrhe des voies aériennes supérieures.

- Astringente, anti-migraineuse (notamment les névralgies faciales), elle est efficace dans les états dépressifs, la fatigue accompagnée de céphalées digestives, dans l'anxiété avec troubles digestifs.
- Enfin, elle aide à faire passer le lait des jeunes mères qui ne nourrissent pas leur bébé.

❤ Conseils d'utilisation

- Si vous tenez à vous assurer son action digestive après un bon dîner, sans risquer de troubler votre sommeil, vous pouvez l'associer au tilleul, très calmant au contraire. Aussi, en buvant un tilleul menthe fumant, vous bénéficiez de l'action digestive de la menthe mais ses qualités excitantes sont neutralisées par le tilleul.
- Les inhalations au menthol sont répandues dans le commerce. Cet alcool secondaire, extrait de l'essence de menthe, peut provoquer des irritations. Il est préférable d'utiliser la plante entière ou l'huile essentielle.
- L'élixir floral de menthe stimule la vigilance et la clarté d'esprit. En vente dans les pharmacies ou magasins diététiques.

♥ Le miel ♥

Célébré dans le Cantique des Cantiques, le Talmud, le Coran et le Rig-Veda, le miel symbolise la douceur, l'amour, le bonheur, la longévité, la santé, la protection céleste. Nourriture des dieux et des hommes, dont les saveurs, les textures et les parfums inchangés ont traversé les siècles, il est réputé pour ses nombreuses vertus thérapeutiques.

Aliment des dieux et des rois, il entretient la jeunesse, prolonge la vie et préserve la santé des hommes. Epicé avec des herbes, il insuffle une nouvelle vie à ceux qui sont atteints de lassitude amoureuse.

Revitalisant par excellence, il est utilisé dans le traitement de l'impuissance et de la frigidité. Dans son Jardin parfumé, Cheik Nefzaoui nous apprend aussi que consommer du miel avec de la noix de muscade permet de prévenir une " éjaculation précoce " !

Mieux encore, des expériences scientifiques ont démontré que la gelée royale stimule et augmente la production de sperme. Ainsi la libido s'en trouve renforcée, et l'intérêt pour le sexe s'accroît !

♥ Nectar d'Eros

Depuis l'aube de l'humanité, le miel et les autres produits de la ruche sont solidement ancrés dans l'histoire des hommes. Associé depuis toujours à l'univers des sens, à l'amour et à la sexualité, les civilisations, à toutes les époques, ont considéré le miel comme aphrodisiaque.

En Grèce, on offrait aux dieux de l'Olympe un mélange de miel et de lait : *ambrosia* (ambroisie) était le nom de ce nectar mythique dont les Egyptiens et les Hébreux humectaient les lèvres des nouveau-nés. On le retrouve partout dans les coutumes anciennes. Comme la lune de miel, synonyme d'une période douce et heureuse.

Au Maroc, de même que dans que dans de nombreux autres pays, on sert des gâteaux au miel et une boisson à base de bière de miel à la cérémonie de mariage. Dans le *Jardin parfumé*, l'art d'aimé arabe, l'auteur recommande de consommer avant le coït un repas composé de vingt amandes, cents pignons et un verre de miel.

Hippocrate le prescrivait pour accroître l'énergie sexuelle. Galien le recommandait de façon générale comme produit fortifiant, rajeunissant et comme remède contre l'impuissance.

En Chine, on raconte que le miel sauvage, non traité, aurait la propriété " *d'affermir la volonté, de rendre plus léger le fardeau du corps et de bannir la faim et la sénilité* ". Dans certaines régions reculées de Bolivie, il est encore prescrit comme remède contre l'infécondité, l'impuissance et la stérilité.

♥ Une extraordinaire source d'énergie

Bref, le miel est l'aliment qui fournit au corps l'énergie sexuelle la plus facilement assimilable et la plus sûre, avec une rapidité incomparable.

Il renferme de l'acide aspartique, qui augmente la vigueur, des vitamines B1, B2, B3 et B6, de la biotine, du potassium, du soufre, du calcium, du phosphore, du magnésium, du fer, du manganèse et du cuivre favorables à la production d'énergie et à la formation du sperme.

De ce fait, il est particulièrement recommandé aux supers actifs, aux sportifs mais aussi à tous ceux qui ont besoin d'un " coup de fouet ".

Une cure de miel augmente dans de bonnes proportions le taux d'hémoglobine dans le sang. Cela permet donc de combattre l'anémie, l'asthénie, la fatigue physique en général et de profiter d'une meilleure endurance musculaire.

Enfin, c'est un anti-stress formidable qui entre avec profit dans l'alimentation de ceux qui veulent améliorer leur vie amoureuse.

♥ La gelée royale pour augmenter ses capacités sexuelles

Le plus précieux des produits de la ruche est la gelée royale. Il s'agit d'une sécrétion produite par les glandes pharyngiennes des abeilles ouvrières pendant seulement dix jours de leur vie. Elles sont à ce moment-là, chargées de nourrir l'ensemble des larves dont sera issue la future reine.

En observant la vie des colonies, des chercheurs ont constaté l'extrême longévité de la reine par rapport aux ouvrières : cinq ans contre six semaines ! Fontaine de jouvence, son succès commercial en tout cas agit sur les prix : elle coûte cinq à six fois plus cher que le miel.

Les qualités de la gelée royale sont aujourd'hui scientifiquement reconnues. Sa haute teneur en vitamine B5 joue un grand rôle dans le mécanisme de régénération des cellules. Elle permet notamment le métabolisme des lipides, des glucides et des acides aminés.

Sans vitamines B5, il n'y a pas d'assimilation des aliments. De plus, elle a aussi le pouvoir d'augmenter la production d'adrénaline, qui diminue le stress.

La gelée royale est donc absolument indiquée contre la fatigue, la faiblesse, l'anémie, la dépression, l'impuissance, le surmenage et la sénescence.

De nombreuses personnes, notamment des sujets volontaires, ont constaté une augmentation de leurs capacités sexuelles lors d'une cure de gelée royale. Des expériences scientifiques ont démontré aussi qu'elle stimulait et augmentait la production de sperme.

❤ Le pollen, un grand protecteur

Partie féconde de la fleur, le pollen serait, avec le nectar, les divers miellats, une des matières premières utilisées par les abeilles pour fabriquer le miel. Il s'agit d'un des aliments les plus complets au monde. A poids égal, il contient plus de protéines que la viande ou les œufs et le rapport de ses acides aminés est le meilleur de tous les aliments.

Le pollen regorge de substance nutritive, en particulier des vitamines du groupe B : B1, B2, B3, B5, B6. Il renferme en outre les vitamines A, C, E, du potassium, du magnésium, du calcium, du phosphore, du soufre, du fer, du manganèse et du cuivre.

Le pollen (palmier dattier) contient aussi une hormone en tous points semblable à la gonadotrophine humaine. Les Bédouins du désert s'en servaient pour traiter la stérilité. Aujourd'hui, des médecins suédois ont découvert que l'on pouvait traiter la prostatite en utilisant un extrait de pollen.

Une cure de pollen peut restaurer la santé, la vigueur et le dynamisme. Cinq millilitres suffisent. Si votre comportement et vos réactions sexuelles s'améliorent et si vous sentez des effets positifs sur vos activités physique et mentale, continuez à en prendre tous les jours.

♥ Conseils d'utilisation

- Méfiez-vous des miels d'importation et des miels à bas prix. Ce sont soit des mélanges, soit des miels obtenus à partir de glucose. Dans la mesure du possible, préférez donc les magasins de produits diététiques et les marchés où l'on rencontre les apiculteurs.

- Utilisez le miel à la place du sucre est déjà un acte positif pour la santé. Quand on compare miel et sucre, les avantages du miel sont indéniables : l'un, produit naturel, garde toutes ses propriétés, l'autre, raffiné en usine, est blanchi d'indranthrène.

- On consommera de préférence la gelée royale conditionnée en mélange avec du miel (à raison de trois grammes de gelée royale pour cent vingt-cinq grammes de miel). Elle devra absolument être conservée, durant le temps de la cure, à l'abri de la chaleur et de la lumière. La cure standard s'étend sur vingt et un jours et nécessite environ six grammes de gelée royale (soit deux pots) que l'on peut éventuellement porter à neuf grammes (trois pots).

- Les épuisés, les déprimés, ceux qui se plaignent d'insomnie, de fatigue nerveuse ou intellectuelle, peuvent trouver un remontant efficace avec le pollen pris en dose de deux cuillerées à soupe par jour. Dans la mesure du possible, achetez votre pollen en pharmacie ou en magasin diététique.

❤ La muscade ❤

Parmi toutes les épices aphrodisiaques, la noix de muscade occupe une place exceptionnelle. Dans l'Inde ancienne, on l'appelait mada shaunda ce qui signifie " fruit narcotique " et elle entrait dans la composition de nombreux aphrodisiaques importants.

Dans l'Antiquité, elle fut honorée comme la reine des épices. C'est du mot moushk signifiant " parfum " que dérivent les mots musc et muscade.

Ingrédient essentiel de l'alchimie amoureuse, cette épice entra très tôt dans les philtres d'amour et les rites d'envoûtement destinés à séduire une victime.

Grâce à ses substances actives, elle stimule l'esprit, le sang et rend endurant dans l'amour.

On connaît aujourd'hui l'efficacité réelle de la muscade, elle est d'ailleurs l'un des composants essentiels de la MDA, une drogue de l'amour, de la famille de l'ecstasy.

❤ Muscade ou " l'oiseau de feu "

Les anciens affirmaient que la muscade était l'œil de " l'oiseau de feu ". Elle déclenche dans le corps des flambées de dopamine qui éveillent le désir !

Au Moyen Âge, la muscade était utilisée comme remède, mais avant tout elle était appréciée comme drogue aphrodisiaque. Mattioli conseillait d'enduire le pénis d'huile de noix de muscade avant de " sacrifier Vénus " !

Dans la médecine populaire allemande, on l'utilise dans les sortilèges amoureux. Il était de coutume que les jeunes filles peu farouches offrent à leur bien-aimé un gâteau préparé à base de poivre et de noix de muscade.

Aussi, selon Bresleau, dans son livre sur la magie, on devait tenir une noix de muscade sous son aisselle pour aller danser, un moyen efficace pour éviter de faire tapisserie toute la soirée !

On pouvait également l'employer pour remédier à une faiblesse également sexuelle. Un moine du XVIe siècle, fort averti des plaisirs charnels, prescrivait à tout homme voulant profiter de sa verdeur d'enduire certaine partie de son anatomie d'huile de noix garantissant une activité sexuelle sans défaillance pendant plusieurs jours !

Enfin, la muscade a la réputation d'être la meilleure amie de l'homme. Dans un ouvrage intitulé " *Les pouvoirs secrets de la nature* " écrit par un physicien hollandais du XVIe siècle, on apprend que la noix de muscade ne réagit pas de la même façon au contact de l'homme et de la femme.

En effet, la science de l'époque démontre qu'une noix transportée par un homme transpire, prend un bel aspect et devient agréablement parfumée. La noix transportée par une femme devient par contre ridée, sèche, de couleur foncée et fort laide !

Ce qui permettra à ce physicien fort misogyne de démontrer que l'homme est toujours supérieur à la femme : " *l'homme donne la santé et dégage une bonne odeur tandis que la femme est impure et sans ardeur* " !

❤ La muscade comme tonique sexuel

La plupart des épices contiennent des substances actives et des huiles essentielles qui leur donnent leur arôme et sont responsables de leurs effets stimulants et enivrants.

C'est le cas de la muscade qui déclenche dans le corps des flambées de dopamine qui réveillent le désir.

Les acides gras de l'huile de muscade sont encore plus efficaces. Ils interviennent dans la dilatation des vaisseaux pour une longue durée (des onctions locales étaient faites, sur les parties érogènes du corps des amants !).

Le beurre de muscade, quant à lui, a un rôle vasodilatateur, provoquant une hypersensibilité et un effet " d'éveilleur ". Des recherches scientifiques ont montré que l'ecstasy, la célèbre drogue de l'amour, est issue d'une substance présente dans l'huile essentielle de muscade !

Ses vertus dynamisantes étaient bien connues et à haute dose pouvaient par contre devenir toxiques et provoquer des accidents, de même que l'abus d'onction sur le corps.

❤ Autres effets thérapeutiques

• La noix de muscade, et son écorce, qui porte le nom de macis, ont les mêmes propriétés : l'une et l'autre contiennent une essence un peu âcre qui favorise la digestion des plats lourds et notamment des féculents (haricots secs, lentilles). L'écorce comme la noix elle-même, renferment une hormone naturelle voisine de la folliculine qui régularise les cycles capricieux. Enfin, noix de muscade et macis, comme la menthe, parfument l'haleine.

• L'huile essentielle de muscade est connue pour ses propriétés tonique, analgésique et sédative.

❤ Conseils d'utilisation

- En cas de fatigue générale, état de faiblesse, baisse de la libido : effectuez une friction (cinq à dix gouttes de muscade sur le plexus solaire, la nuque et la colonne vertébrale, matin et soir) ou préparez-vous un bain aromatique (muscade, lavande, marjolaine, une goutte de chaque).

- A dose élevée, la muscade provoque de multiples effets psychotropes, comme l'avaient noté les auteurs anciens. Malheureusement cette propriété n'a pas échappé aux toxicomanes et la muscade a déjà provoqué des intoxications enregistrées dans les centres anti-poisons. Donc, prudence !

♥ Les œufs ♥

Vous avez consommé des œufs durant toute votre vie sans savoir que l'on peut les tranformer en stimulant sexuel !

Ils sont reconnus depuis la nuit de temps pour leur pouvoir sur le désir. Toutes les civilisations l'attestent sans exception :

Le Kâma Sûtra préconise une recette pour celui qui voudrait honorer un nombre illimité de femmes : " Delayez des oeufs de moineau dans l'eau de riz, les faire cuire dans du lait et mélangez avec du miel ".

Dans L'Art d'Aimer oriental, Cheik Nefzaoui conseille, quant à lui, de faire frire une grande quantité d'œufs avec de la graisse fraîche et du beurre, puis de les plonger dans du miel.

Cette préparation consistait à entretenir le feu des amants autant de fois qu'ils le désiraient pendant cinquante jours et cinquante nuits !

♥ Des œufs pour entretenir le désir

Dans son *Art d'aimer*, Ovide recommande des œufs aux amants fatigués ayant besoin de vigueur : " *Ce que tu pourras prendre, c'est le l'oignon blanc, ce sont des œufs, c'est le miel de l'Hymette, ce sont les amandes qu'enveloppent les écailles de la pomme de pin pointue* ".

Dans toutes les civilisations, les œufs ont fait partie des plus grandes recettes aphrodisiaques capables de réveiller le désir des plus assoupis.

Voici une recette utile non seulement pour les hommes âgés mais aussi ceux qui sont dans la force de l'âge : " *Celui qui prend l'habitude de manger tous les jours des jaunes d'œufs sans le blanc trouvera dans cet aliment un stimulant sexuel. De même pour l'homme qui pendant trois jours en consomme avec de oignons* " !

❤ Un véritable stimulant sexuel

Les œufs sont riches en vitamine A et, à part le poisson et l'huile de poisson, ils sont l'un des seuls aliments à contenir de la vitamine D. La vitamine A garde les muqueuses souples, douces et lubrifiées.

En outre, les œufs contiennent de la vitamine E et certaines vitamines du complexe B, plus particulièrement de l'acide pantothénique qui travaillent avec les glandes surrénales et qui déclenchent l'excitation et provoquent une réaction aux avances sexuelles.

Enfin, ils contiennent aussi des minéraux, y compris le calcium, le fer, le potassium et le puissant phosphore. Ils comprennent également de la lécithine, l'une des matières premières nécessaires à la fabrication des composés sexuellement stimulants par le cerveau.

❤ Conseils d'utilisation

- Achetez toujours des œufs bien frais et de préférence de grosse taille.
- Le jaune d'œuf est particulièrement riche en substances stimulantes. Il est conseillé de séparer le jaune du blanc et de mélanger le jaune d'œuf à du jus de tomate ou de légumes, additionné d'un peu de jus de citron.

❤ Le poivre ❤

Le poivre contient une " force bouillonnante " selon Hildegarde et est considéré virilisant ! Il possède en effet la fameuse réputation de pousser aux plaisirs de Vénus.

Il fut introduit dans de nombreux élixirs et philtres d'amour. La légende veut que Tristan et Iseut aient été envoûtés par un vin poivré.

Plus tard, une foule de formules ésotériques seront mises en application, associant poivre, safran, gingembre. Toutes prétendaient stimuler les vertus érotiques.

Tonico-stimulant, le poivre est connu pour agir sur les centres nerveux encéphaliques (exaltation des désirs sexuels) et par une action irritante sur les nerfs du centre érecteur, il fait partie des aphrodisiaques à action immédiate.

Attention ! Ne pas en abuser régulièrement, à cause des incidents secondaires possibles (estomac, intestin, circulation).

❤ Le poivre, chaud devant !

Le poivre est toujours l'épice des philtres d'amour et des vins aux saveurs enchanteresses. Les Arabes préconisaient de mâcher des grains puis d'enduire les organes génitaux : " *mâcher trois grains de poivre noir, ne pas avaler, mais récupérer le tout et l'étaler sur le pénis avant de faire l'amour* ".

Pour " *dénouer les aiguillettes* ", c'est-à-dire réveiller un membre endormi, l'Art d'aimer oriental conseillait de piler plusieurs épices ensemble comme la cardamone et le poivre. Il suffit d'en prendre en bouillon le matin et le soir.

En Inde, le sucre (douceur) et le poivre (piquant) font partie de la pharmacopée de la jeune mariée.

❤ Un premier pas vers le désir

Cet épice contient un montant élevé de vitamine C. Il est un agent excitant qui stimule la circulation.

De manière générale, manger très épicé entraîne la sécrétion d'une hormone appelée endorphine, l'anagésique naturel du cerveau.

La pipéride contenue dans le poivre jour un rôle d'anti-dépresseur du système nerveux central.

❤ Conseils d'utilisation

- Le poivre, comme le piment, est un stomachique qui aide à la digestion des graisses et des sucres. Mais il a le défaut de congestionner les vaisseaux sanguins. Tous ceux qui souffrent de varices ou d'hémoroïdes doivent l'éviter ou s'attendre à des lendemains douloureux.
- Pour les plus fatigués : faites macérer quelques grains dans du vin blanc pendant huit jours et buvez cet apéro qui vous " réchauffera le sang "

❤ Le romarin ❤

Symbole de renaissance, on le retrouve dans " l'eau de la reine de Hongrie " qui servait non seulement pour calmer la goutte et les rhumatismes mais aussi les vapeurs et langueurs, ainsi que pour ressusciter les ardeurs amoureuses des dames mûres et messieurs déficients.

Du romarin, on attendait des miracles et peut-être n'avait-on pas entièrement tort car il est exact qu'il est stimulant contre les faiblesses des membres, les troubles nerveux et respiratoires et même contre l'impuissance !

Enfin, cette plante magique possède un grand pouvoir protecteur, elle fait partie des plantes sacrées qui portent chance et éloignent des mauvais sorts.

Au Moyen Âge, il était de tradition de planter un romarin dans les vignes ou les champs pour apporter la fertilité !

❤ Le romarin ou la renaissance amoureuse

Chez les Romains, cette herbe sacrée portait bonheur aux vivants et assurait aux morts un séjour paisible dans l'au-delà. Ils en tressaient donc des couronnes qu'ils coiffaient pour certaines fêtes, en particulier les mariages.

Plus tard, les chrétiens l'associèrent à la Vierge Marie qui se serait reposée au pied d'un buisson de romarin pendant la fuite en Egypte ou qui aurait étendu sur ses rameaux les langes de l'enfant

Jésus : " *et c'est de ce jour, dit la légende, que ses fleurs ont la couleur du ciel et apparaissent le jour de la passion* ".

C'est aussi la raison pour laquelle les familles qui en parfument leur maison bénéficient, croit-on, d'une protection spéciale.

L'eau distillée de fleurs de romarin surnommée " *eau de Hongrie* " fut un remède prisé en Europe pour les dames mûres souhaitant retrouver jeunesse éternelle.

Grâce à elle, Elisabeth, reine de Hongrie, âgée de soixante-douze ans, goutteuse et rhumatisante, retrouva la vigueur de ses vingt ans et séduisit le roi de Pologne qui, follement épris, la demanda en mariage.

Pour le cas ou vous seriez tenté d'expérimenter ce prodigieux élixir, en voici la recette : " *Prenez de l'esprit de vin distillé quatre fois, trente onces (950 grammes), vingt onces (environ 600 grammes) de fleurs de romarin. Mettez-le tout dans un vase bien bouché l'espace de cinquante heures, puis distillez dans un alambic au bain-marie. Consommez le matin une fois par semaine (environ quatre grammes) avec une liqueur ou bien avec de la viande, et lavez-vous en le visage tous les matins, frottez-en le mal des membres infirmes* ".

♥ Une herbe au pouvoir stimulant

" *Je m'en enivre tous les jours, j'en ai toujours en poche* " écrivait madame de Sévigné à sa fille, à propos de l'eau de romarin.

Cette plante agit sur les centres nerveux et active la circulation sanguine. Un de ses composants (la safranine) se présente comme une véritable hormone sexuelle.

Son huile essentielle présente d'excellentes qualités et est reconnue aujourd'hui comme stimulant cérébral et psychique.

Sans oublier son envoûtant parfum camphré et amer qui favorise les rapprochements amoureux.

♥ Autres vertus thérapeutiques

- Par voie interne : mauvaise circulation, pieds froids, douleurs articulaires, migraines associées à des troubles digestifs, dépression, mémoire défaillante, vertiges, névralgies, manque d'appétit, inflammation de la vésicule biliaire.
- Par voix externe : plaies, brûlures, rhumatismes, douleurs musculaires, fatigue générale.

♥ Conseils d'utilisation

- Vous donnerez au romarin un pouvoir excitant en mettant vingt grammes de feuilles et de branches dans cent cl d'alcool à soixante-dix degrés. Laissez macérer pendant une semaine. Prenez-en tous les jours une demi-cuillerée à café dissoute dans de l'eau bouillante.
- Pour un bain tonique et aphrodisiaque : Prendre un bain complet à 39-40°, ajoutez une cuillerée à soupe de chaque huile essentielle : thym, pin, sarriette, romarin. Restez dix minutes et prendre une bonne douche froide.
- Attention ! A haute dose, le romarin provoque des spasmes et des vertiges. Respectez bien les posologies.

❤ Le Safran ❤

*Pour mettre du piquant dans votre vie amoureuse, pensez
au safran…Effet placébo garanti !*

*Le safran fut utilisé dans la mythologie grecque par Zeus comme
stimulant érotique. Les Grecs pensaient que cette épice servait surtout
à éveiller les sens de la femme.*

*Dans les Termes, des bains safranés étaient proposés aux noceurs
devenus asthéniques souhaitant retrouver leur vigueur d'antan.*

*Avant les combats, sportifs et gladiateurs s'enduisaient le corps d'huile
de safran, car on lui attribuait des pouvoirs tonifiants pour les
muscles.*

*Les vertus aphrodisiaques du safran sont reconnues. Il a des propriétés
stimulantes sur les centres érogènes. Des études ont prouvé qu'il a une
activité similaire à celle des hormones.*

*Mais si vous tenez à votre réputation, mesurez-en cependant votre
consommation : pris en excès, il provoque le fou-rire !*

❤ Le safran, épice reine

Le safran est l'épice la plus chère au monde. En plus de donner
une belle coloration jaune, on attribue à cette épice le pouvoir de
stimuler la sensibilité et d'ouvrir le cœur.

Connu depuis près de cinq mille ans, cette épice fut apportée en
France par les arabes au XIIIe siècle.

Nombre de civilisations lui rendirent hommage : en Grèce, on avait coutume de teindre au safran le voile des jeunes mariées. A Rome, on prenait des bains aromatisés pour retrouver une jeunesse sexuelle !

En Chine, aux îles Fidji, les femmes se baignent avec leur époux dans un fleuve réputé propice à la fécondation puis, avant de faire l'amour, dégustent un breuvage à base de safran.

♥ Epicez vos amours avec le safran !

Le safran contient des substances aromatiques et odorantes, des huiles essentielles et des phyto-hormones qui participent à une série de processus du métabolisme et influencent notre vie sexuelle.

Ces substances odorantes et évocatrices ont le pouvoir d'exciter l'imagination. On l'utilise broyée, au-dessus d'un plat, d'une préparation culinaire.

En Inde, elles existent sous forme de crème dont on s'enduit le corps. On peut mêler le safran à la nourriture, en petites quantités, pour son pouvoir aromatique ou l'employer sous forme d'huiles essentielles, pommades ou onguents.

Enfin, soyez raisonnable dans votre consommation, les doses excessives de safran causent le fou-rire incontrôlable au risque de vexer votre partenaire !

♥ Conseils d'utilisation

• Sachez que le safran possède également la vertu, en excitant la glande salivaire de faciliter la digestion des aliments, et plus particulièrement des amidons. N'hésitez-donc pas à l'utiliser pour rendre vos plats léger et par là même stimuler l'ardeur amoureuse !

♥ La sarriette ♥

*Egalement appelée " herbe aux satyres ", la sarriette était dans
la mythologie grecque symbole de virilité.*

*Aujourd'hui, on attribue parfois à cette incontestable herbe de l'amour
des effets dépassant ceux du ginseng.*

*Le principe actif responsable de cet exceptionnel effet aphrodisiaque est
un flavonoïde nommé eriodictyol, relaxant et vasodilatateur.
De plus, on note la présence de tocophérols dans la sarriette,
ce qui en fait également un excellent anti-oxydant.*

En aromathérapie, elle est aussi conseillée en cas d'insuffisance sexuelle.

*Cette herbe peut être indifféremment utilisée comme condiment ou
comme tisane, et l'on peut en jeter une pincée dans son bain.*

*Que l'on absorbe la sarriette par la bouche ou par la peau, elle a tou-
jours les mêmes vertus, si l'on peut dire…à en perdre la vertu !*

♥ Sarriette, herbe aux satyres

Durant des siècles, la sarriette a été considérée comme l'herbe de
l'amour pour aiguillonner les ardeurs du corps.

Les Grecs, très amateurs de cette herbe aromatique, lui prêtaient
une importante renommée. Tels des satyres, joyeux lurons mi-
hommes, mi-boucs, joueurs de flûte et séducteurs de nymphes de

l'Antiquité, les hommes qui " broutaient " de la sarriette voyaient leurs ardeurs amoureuses décupler.

Ses vertus aphrodisiaques furent colportées avec emphase par Ovide dans " *L'art d'aimer* " mais aussi par Cartheuser dans sa " *Matière médicale* " comme propres à " *augmenter et provoquer admirablement les excrétions de toute espèce. Ce n'est donc pas un des moindres antiscorbutiques, diurétiques, carminatifs, stomachiques, pectoraux, utérins et aphrodisiaques* ".

Le célèbre herboriste français Maurice Mességué suggérait de la sarriette au lieu du ginseng pour aider les couples à retrouver leur félicité conjugale : " *Je dirai seulement à l'épouse inquiète de l'indifférence de son mari : prenez un brin de sarriette, passez-le au moulin à poivre et saupoudrez-en la grillade de votre époux, la vôtre aussi d'ailleurs. Ainsi, vous êtes sûre que la sarriette sera mangée et non jetée comme on le fait avec les bouquets garnis dans les plats. Je ne promets pas qu'un brin de sarriette une fois dans votre vie vous mènera au bord de l'orgie. je dis simplement qu'un couple qui partage toute sa vie une nourriture stimulante où entrent en bonne part l'ail, l'oignon, le céleri, le fenouil, la sauge et la sarriette, a plus de chances qu'un autre de connaître le bonheur conjugal* ".

Enfin, on raconte que boire une infusion de sarriette avant d'aller au lit réchauffe la femme frigide et redonne du tonus à l'impuissant !

❤ Sarriette ou herbe de l'amour

Que vous la semiez chaque année dans votre jardin ou que vous profitiez de vos vacances pour la cueillir dans les garrigues de Provence où elle est vivace, cette petite plante aromatique dont l'odeur et l'aspect rappellent le thym devrait avoir sa place chez vous.

Sa vertu principale est de donner de l'ardeur aux plus indifférents. Le principe actif responsable de cet effet exceptionnel est un flavonoïde nommé ériodictyol dont les propriétés sont connues pour être relaxantes et vasodilatatrices.

L'huile essentielle de sarriette est aussi très énergisante et revitalisante. Une à deux gouttes deux à trois fois par jour sur du miel ou très diluée dans une tisane est un merveilleux philtre d'amour. Appliquée sur la colonne vertébrale, elle fait " tourner la tête " !

❤ Autres actions bénéfiques

- La sarriette a des propriétés digestives et l'on devrait toujours en ajouter un brin dans les ragoûts et avec tous les féculents difficiles à digérer. Son rôle tient au fait qu'elle stimule l'estomac, apaise les spasmes, régularise les contractions intestinales et favorise l'évacuation des gaz.

❤ Conseils d'utilisation

- De nombreux remèdes à base de sarriette sont proposés sous trois formes : pilules ou gélules, liquides (teintures), ainsi que la plante sous sa forme naturelle : feuilles, racines ou sommités fleuries. Pour un effet immédiat, les extraits de plantes sont plus efficaces. Les tisanes ont une action plus lente mais elles sont néanmoins absorbées plus rapidement par l'organisme.
- Méfiez-vous si vous voyez des bocaux de plantes exposés en plein soleil dans la vitrine d'un magasin, car les plantes perdent de leur pouvoir thérapeutique quand elles sont exposées à l'air et à la lumière.

♥ La truffe ♥

Casanova en était friand et Madame de Pompadour en faisait servir à ses amants. Autant de preuves qui montrent que la truffe jouit depuis toujours d'une solide réputation d'aphrodisiaque.

Brillat Savarin, gastronome français et auteur de la " Physiologie du goût " consacre six pages à ce voluptueux champignon :

" Qui dit truffe prononce un grand mot qui éveille des souvenirs érotiques et gourmands chez le sexe portant jupes, et des souvenirs gourmands chez le sexe portant barbe ".

Pourquoi tant d'amour pour ce champignon hors de prix, déniché par des truies ?

Parce que la truffe exhale une substance volatile proche de la testostérone. Peu romantique, mais scientifiquement démontré !

♥ La truffe et son secret

Le diamant noir a toujours fait rêver et a été l'objet de bien des fantasmes ! Ce tubercule est non seulement agréable au goût, mais il excite un pouvoir dont l'exercice procure les plaisirs les plus délicieux…

La truffe porte à la bonne humeur. Alexandre Dumas en disait : *" Quand je mange des truffes, je deviens plus vif, plus dispos, plus gai. J'éprouve intérieurement, surtout dans mes veines, une chaleur douce, voluptueuse qui ne tarde pas à se communiquer à ma tête. Mes idées sont plus nettes et plus faciles* ".

Diane Ackermann, auteur d'un ouvrage sur les sens, associe le parfum de la truffe à des souvenirs érotiques : " *Il rappelle la chaleur musquée d'un lit défait après un après-midi d'amour sous les tropiques* ".

Mentionnée des le Ve siècle avant notre ère, la truffe jouit d'une solide réputation auprès des Romains, dont Jules César qui en était un grand amateur. En Italie, au XIe siècle, elle fut mentionnée comme pouvant " augmenter le sperme et l'appétit du coït " !

Enfin, les plus grands séducteurs de l'histoire comme Casanova et Sade en furent de grands consommateurs et l'associèrent fréquemment à l'huître. *Le dictionnaire érotique des fruits et légumes* insiste aussi sur cette association diabolique : " *l'effet conjugué de l'huître et de la truffe était prodigieux, et bien des filles étaient troussées séance tenante* ".

Dernière recommandation pour les plus timides qui veulent retrouver un peu d'audace. Curnonsky vous propose sa recette de ratafia aux truffes : " *Ce sont des truffes fraîches, coupées en très petits morceaux et macérées pendant vingt et un jours dans un cognac ou un armagnac, accompagnées d'une gousse de vanille, trois clous de girofle et une forte pincée de cannelle* ".

♥ La truffe, au top de la nourriture érotique

Le menu libertin contient déjà en lui-même tout ce qui a la réputation d'être favorable aux effets de l'amour. Au-delà du champagne, des huîtres ou du chocolat, auxquels elles sont très souvent associées, rares sont les plats et les sauces à ne pas contenir de truffes !

Leur réputation d'aphrodisiaque est à ce point avérée qu'on peut lire dans *l'Encyclopédie* (XVIIIe siècle) dans un chapitre consacré à cette mystérieuse plante : " *la vertu d'exciter l'appétit vénérien qu'on lui attribue est réelle ; elle s'y trouve même en un degré fort énergique. Ainsi, elle ne convient certainement point aux tempérament sanguins, vifs, bouillants, portés par l'amour, ni à ceux qui sont obligés par état à s'abstenir de l'acte vénérien* ".

Autant de conseils qui ne sont guère suivis par Casanova, grand consommateur de truffes devant l'éternel !

Bien sûr, ce champignon au prix élevé, comme le champagne et les mets raffinés, par son aspect festif, invite automatiquement à la volupté. Mais il va plus loin, sous son aspect peu esthétique, il contient un principe actif, l'androsténole, extrêmement proche de l'hormone mâle, l'androstérone.

Rien d'étonnant encore que cette dite hormone titille également certaines envies féminines !

La truffe est non seulement hautement aphrodisiaque mais riche aussi en sodium, potassium, phosphore, chlore, magnésium, calcium, soufre, fer et protides. Dégustez-la donc avec tous les égards qu'elle mérite !

♥ Conseils d'utilisation

- La législation française permet aujourd'hui sous l'appellation " truffe " de conserver la tuber melanosporum et la tuber brumale qui ont des qualités bien différentes. Il faut donc être bien vigilant et exiger lorsqu'on achète une vérine ou une boîte de truffe, que l'étiquette comporte le nom tuber melanosporum et truffe de première ébullition.

- La truffe est facile à cuisiner mais il convient de savoir la mettre en valeur. On ne cuisinera pas de la même manière une truffe fraîche et une truffe de conserve.

• La première est un champignon vivant qui émet des arômes pendant plusieurs jours. La seconde est un champignon mort qui transmettra les arômes qu'il a conservé pendant environ une heure trente après l'ouverture du bocal. Il convient dès lors, lorsque l'on cuisine des truffes de première ébullition, de capter durant ce temps tout l'arôme possible.

• Lorsqu'on cuisine la truffe, il faut également respecter les proportions (environ huit à dix grammes par personne).

♥ La roquette ♥

Qualifiée d'herbe lubrique par le poète Ovide, la roquette était interdite dans les monastères, sans doute à cause de sa saveur trop piquante.

Posée sur les reins, elle permet, dit-on, " d'amouvoir le désir de luxure " et préparer un mélange composé de poudre de semences de roquette mélangée à du vin et du miel est particulièrement efficace pour accroître ses capacités sexuelles.

Alors, n'hésitez plus, consommez de la roquette à tous les repas, elle accompagne parfaitement les viandes, les poissons et les fruits de mer.

Et pas question de se tromper de salade : naguère pour calmer les femmes trop ardentes, on leur servait de la laitue, aux propriétés soporifiques – il faut, dit-on, en manger plusieurs cœurs !

♥ La roquette, herbe lubrique

Les vertus aphrodisiaques de la roquette la faisaint jadis proscrire des jardins monastiques. Sainte Hildegarde la considérait comme " *excitante aux jeux de l'amour* " et l'interdisait à ses nonnettes.

C'est curieux : à part la roquette, toutes les salades ont des effets lénifiants. La laitue la plus prisée sur notre table a bien mérité le surnom " d'herbe des sages ". Pourquoi ? Parce que les feuilles de laitue contiennent une substance appelée lactucine qui apaise légèrement.

Grâce à ses vertus calmantes, sédatives voire hypnotiques, elle serait responsable d'une baisse de désir.

Mais rassurez-vous, il faut en manger au moins deux cœurs pour en subir les effets ou bien y ajouter quelques feuilles de roquette " *pour que la ferveur se mêle à la froideur* " comme on le recommandait déjà au XVe siècle.

Sachez enfin que la laitue, malgré ses vertus hypnotiques, est aussi une plante de la fécondité. Elle est en effet très riche en vitamine E, la vitamine de la reproduction qui permet de porter les ovules à maturation.

C'est donc dans les cœurs de salades que naissent les bébés et non dans les choux. On peut ainsi dormir et faire de beaux enfants, ce qui est un record !

♥ Conseils d'utilisation

- La roquette entre dans la composition du mesclun, mélange de plantes, frais, amer et parfumé. Les autres herbes du mesclun sont le cerfeuil, la chicorée, la feuille de chêne, la mâche, le pissenlit, le pourpier, la scarole et la trévise. On le servira avec des pignons grillés, également aphrodisiaques.

- Outre ses propriétés revigorantes et stimulantes, la roquette favorise à la fois l'appétit et la digestion. Elle est très diurétique et antiscorbutique.

- Curnonsky, le prince des gastronomes donnait cette recette de steak aphrodisiaque à laquelle la roquette apportait la touche finale : choisir une viande pas trop épaisse, du filet, un peu aplati de chaque côté. Assaisonner de poivre mélangé de muscade, gingembre, pignon pilé. Faire griller. Servir sur un lit de feuilles de roquette finement hachées avec un morceau de beurre.

❤ La vanille ❤

C'est la magie odorante de l'amour. Les infusions et les vins de vanille aiguisent les attentes. Le parfum pénètre dans l'organisme par des voies aussi diverses que la peau, l'odorat, la sang lorsqu'il y a ingestion.

Cette plante a depuis de nombreux siècles, la réputation d'attiser les feux de l'amour…et il est dit que son huile essentielle exerce une action particulière sur les glandes sexuelles.

La vanille est euphorisante et peut-être employée à volonté. Elle combat l'asthénie sexuelle, agit sur le système nerveux, et à travers l'odorat, agit directement sur la stimulation sexuelle.

Bref, la vanille peut faire descendre le paradis sur terre, et, pour les amants, elle est gage de leur attirance mutuelle.

Attention ! Vérifiez toujours l'origine des prétendues vanilles et évitez tout excès, qui peut provoquer des migraines dues à une légère intoxication.

❤ La voie du paradis

Au Moyen Âge, il se disait que les épices reliaient au paradis tout en étant les messagères d'un monde mythique. C'est le cas de la vanille dont le parfum évoque l'exotisme des régions paradisiaques.

Cette épice fut cultivée par les Aztèques qui la nomment " fleur noire ". En fait, elle est issue d'une orchidée dont les fleurs blanches et verdâtres ne vivent qu'un seul jour et dont les racines évoquent sans ambiguïté celles des testicules !

D'ailleurs, le nom orchidée dérive du grec *orkhidion*, qui signifie " petit testicule ". En prenant soin de doter cette plante de ces organes, le ciel ne pouvait que fournir aux humains le remède idéal contre leurs difficultés sexuelles.

Le message divin était formidablement limpide. C'est ainsi que l'orchidée, en dépit de sa toxicité, entre dès l'Antiquité dans la composition des philtres.

Mais un jour, une orchidée nommée " vanille " fut offerte par le grand serpent à plumes des Aztèques. Avantage unique, elle ne contient pas d'alcaloïdes toxiques, mais possède des parfums subtils, des cristaux de vanilline et d'héliotropine pour enchanter paraît-il le sexe, et sûrement le goût…

Auréolée de prestige, cette plante fut couramment utilisée pour augmenter les performances sexuelles. Une tradition veut qu'en offrant de la vanille à une future conquête, celle-ci finisse par céder.

La marquise de Montespan aimait ainsi se baigner dans une eau aromatisée d'essence de vanille, pour son corps réservé à Louis XIV. Comme au Mexique, on mêlait la vanille au chocolat, pour en augmenter les pouvoirs.

Les marchands ambulants chantaient dans les rues : " *Voulez-vous entre ces liqueurs – que le chocolat brille – Mettez-y parmi ces odeurs – des gousses de vanille* ".

❤ Vanille et ivresse du corps

C'est connu : pris le soir, infusion et vins de vanille rendent les amants impatients ! Dans certaines régions reculées d'Amérique du

Sud, il n'est pas rare que des hommes s'abreuvent chaque soir d'un alcool blanc comme la tequila dans lequel a macéré de la vanille. Ils prétendent qu'en prenant quelques gouttes de cette macération chaque soir, ils conservent leur forme et raniment parfois leur vigueur passée !

Les senteurs de la vanilline, sa vibration énergétique de plante, excitent certains circuits du cerveau, comme l'hypothalamus. Ces centres libèrent des neurotransmetteurs qui raisonnent en écho à cette intrusion de calories.

Les essences volatiles de la vanille produisent une action aphrodisiaque sur les sens et c'est pourquoi elle est utilisée en parfumerie pour provoquer le pouvoir amoureux.

Le physicien allemand Bezaar Zimmermann affirme dans un ouvrage paru 1762 que plus de trois cent quarante-deux hommes déclarés impuissants devinrent des amants modèles après avoir bu des décoctions de vanille !

On dit même que les vanilliers, qui poussent dans les îles, ont le pouvoir de rendre amoureux, par leur seul présence !

Aussi, riches de plus de cent cinquante composants actifs, la vanille a des effets euphorisants. Il est donc particulièrement recommandé de la prescrire en cas d'asthénie sexuelle.

❤ Conseils d'utilisation

- Le nec plus ultra de la vanille est sa version " vieillie " : les gousses sous l'action du temps, libèrent la vanilline qui se cristallise, nappant les gousses d'un givre odorant à en succomber !
- Sucez la gousse, mâchez-la ou encore râpez-la pour la mettre dans vos breuvages aphrodisiaques.
- Une recette rapide qui met le cœur en fête : un bol de chocolat

fondant, deux gousses de vanille, de la vanille râpée. Faites cuire à feu doux, sucrez au miel, ajoutez une tasse de café chaud très fort au mélange. Dégustez.

- N'hésitez pas à employer la vanille en aromathérapie, en massage ou dans l'eau du bain.

- Attention ! Il existe sur le marché un nombre incomparable de marques commercialisant de la vanille de synthèse et qui n'apportent rien sur le plan thérapeutique. Soyez vigilant et utilisez de la vanille naturelle.

- Un excès de consommation de vanille peut provoquer des migraines dues à une légère intoxication.

❤ La verveine ❤

Dans l'Antiquité, le vin de verveine qu'on préparait sur les plateaux du Velay était un tonique sexuel réputé.

Plante magique par excellence, les Romains l'avaient déjà dédiée à Vénus, déesse de l'amour, car ils la croyaient propre à rallumer les feux d'un amour près à s'éteindre !

Ils en offraient des bouquets porte-bonheur pour le jour de l'An, la mettaient à tremper dans de l'eau dont ils arrosaient les salles de banquet afin de réjouir le cœur des convives.

On connaît aujourd'hui l'efficacité réelle de la verveine, son action sur le corps pendant la relation sexuelle.

Elle peut être consommée en tisanes ou sous forme d'huiles essentielles qui ont un effet sédatif et stimulant.

Enfin, la verveine contient une substance active, la verbénaline, qui agit directement sur la dilatation des vaisseaux du pénis.

❤ Herbe de Vénus

Les anciens l'avaient dédiée à Vénus, déesse de l'amour qui fut protectrice des jardins, des fleurs et des plantes. Des couronnes de fleurs de verveine étaient aussi confectionnées servant à embellir la chevelure de la divinité, dont les oracles ne s'accomplissaient, paraît-il, que sous leur senteur.

La verveine symbolisait à la fois la passion, la fidélité et la paix. Ainsi, l'arrêt momentané ou définitif des combats guerriers était annoncé par l'envoi d'un messager portant un bouquet de verveine. Partager une tisane ou un vin de verveine signifiait la réconciliation.

Pour le Nouvel An, les Romains offraient des bouquets porte-bonheur de verveine qu'ils faisaient tremper dans de l'eau et dont ils arrosaient les salles de banquet afin de réjouir le cœur des convives.

Plante de la bonne humeur et du bien-être, la verveine pouvait aussi ranimer la flamme amoureuse. Les Romains en consommaient de grandes quantités pendant leurs libations. Ils les faisaient surtout macérer dans du vin. Et ce mélange était censé induire une bonne convivialité érotique, et, de débats et ébats enflammés, prolonger la jouissance !

La recette suivante figure dans un herbier de 1526 : " *Pour assurer l'ambiance joyeuse d'une réunion de convives, mettre quatre feuilles et quatre racines de verveine dans du vin, puis répandre ce vin dans toute la maison* ".

Et Matthiole fut encore en droit d'écrire à la fin du XVIe siècle : " *Les magiciens perdent leur sens et entendement à l'endroit de cette herbe. Car ils disent que ceux qui s'en seraient frottés obtiendront tout ce qu'ils demanderont, ayant opinion que cette herbe guérit des fièvres et fait aimer la personne et, en somme, qu'elle guérit de toutes les maladies et de plusieurs autres* ".

Plus tard, elle entra dans la confection de la plupart des philtres d'amour, servit à prédire l'avenir, à jeter des sorts ou à les lever (par exemple, le chasseur, qui pensait qu'il ratait son gibier parce qu'on avait ensorcelé son fusil, annulait le " mauvais œil " en frottant son arme avec de la verveine), à protéger les maisons contre les esprits malins (on en accrochait un branche à la porte) et aujourd'hui encore, dans différentes régions, on dit d'un enfant qui en portera sur lui qu'il " *sera bien élevé, éveillé, de bonne humeur et aimera les sciences* ".

Enfin, Dans le *Grand Albert*, on peut lire que si quelqu'un porte sur soi de la verveine, il sera fort vigoureux dans le coït : " *Oindre ses mains de jus de verveine et toucher la personne dont on veut être aimé* " ou " *faire absorber la plante en poudre à la personne dont on veut éveiller l'amour* " sont suggérés.

Cependant certaines traditions en font une plante qui rend chaste comme en Bretagne. Ailleurs, on voit aussi la verveine semer le trouble des ménages !

❤ De la verveine, pour ranimer la flamme amoureuse

La verveine n'est pas aussi calme que le laisse penser sa fameuse dégustation en infusion. Tout ce contenu onirique dont nous avons parlé précédemment ne flotte pas quelque part dans la brume des légendes.

On connaît aujourd'hui l'efficacité réelle de la verveine, son action sur le corps pendant la relation sexuelle.

La premier alcaloïde connu, la verbénaline, fut isolé de la verveine au début du XXe siècle par un pharmacien français. Elle dilate en effet le calibre des artères et fait gonfler l'organe. Un principe actif est donc bien présent.

On la consomme généralement en tisane ou en aromathérapie. L'huile essentielle de verveine est particulièrement efficace pour ses effets relaxant nerveux, antidépresseur et tonique.

❤ Autres intérêts thérapeutiques

• Voie interne : fièvres, notamment avec migraines ou douleur aiguës, surmenage consécutif à une surcharge de travail, fatigue post-virale, jaunisse modérée, troubles du foie et indigestion, notamment après les infections, vers intestinaux, asthme et rhume des foins, favorise la montée de lait chez les mères anxieuses ou tendues, dépression avec douleurs et troubles digestifs, calculs rénaux et rétention d'eau, insomnie, sommeil agité, surabondance de rêves.

- Voie externe : la pommade sur les oedèmes douloureux, les plaies qui tardent à guérir et les hémorroïdes. En cataplasmes ou compresses pour les migraines et les douleurs musculaires.

♥ Conseils d'utilisation

- Utilisez toujours de la verveine officinale que vous trouverez chez un herboriste.
- Déconseillée pendant la grossesse. De fortes doses peuvent être émétiques.
- Attention ! La verveine citronnelle ne s'utilise pas sur le long terme. Elle peut provoquer des irritations gastriques ou des gastrites si elle est consommée en excès.

❤ LE VIN ❤

Que le vin soit moyen de séduction est avéré. Il se boit dans un contexte toujours convivial, pour l'enchantement de tous les plaisirs de la bouche.

De tout temps, le mot orgie a signifié bonne chair sous toutes ses formes : bonne nourriture charnelle, vin qui a du corps, et chair des corps nus en fusion. Ce n'est pas un hasard !

Chez les Grecs, le vin a toujours été le secret des orgies dionysiaques. Ces fêtes étaient l'occasion de se débrider, de donner libre cours à son envie de boire et de s'amuser.

Alors, pour parvenir à se laisser aller, le vin a toujours été de bon recours. Son effet est très proche de celui produit par le désir : dilatation des pupilles, légère sudation, libération des substances du désir comme les endorphines…

Enfin, le vin contient des substances qui permettent de lutter contre les maladies-cardiovasculaires, le cancer et le vieillissement cérébral.

Une consommation régulière et modérée est bénéfique, mais attention aux dérapages !

💜 Le vin et Dionysos

Dans les religions antiques, les divinités liées au vin, Dyonisos et Bacchus, sont perçues comme des figures dangereuses, fascinantes, des forces obscures qui peuvent détruire l'homme, mais aussi l'élever à des sommets inaccessibles.

Chez les Egyptiens, le vin jouait un rôle prépondérant dans la vie érotique et culturelle. Lors des célébrations religieuses, il était apporté en offrande aux dieux, tandis que dans les jardins d'amour, les amants en buvaient jusqu'à être enflammés d'excitation.

En Grèce, c'est le culte érotique et extatique de Dionysos qui fit du vin le breuvage des dieux les plus importants. En l'honneur de ce dieu ivre et phallique était organisé des fêtes orgiaques au cours desquelles étaient servis d'ennivrants breuvages aphrodisiaques, et où l'on dansait et chantait jusqu'à la transe extatique. Les âmes enivrées accédaient au plus haut des plaisirs tandis que le corps s'emplissait du dieu.

Tous les peuples de l'Antiquité lui accordaient une haute valeur religieuse et cherchaient à en augmenter les propriétés enivrantes et stimulantes : hysope, lierre, mélisse, sauge, vanille, verveine…la liste des vins excitants est exhaustive.

Citons aussi le céleri au vin blanc qui, autrefois, donnait de la vigueur, le vin d'ail que les jeunes mariés consommaient avant la nuit de noces.

Ovide, un maître en matière de séduction, donnait aussi deux recettes infaillibles pour séduire une conquête : " *Ecrire avec du vin quelques mots enjôleurs sur la table et boire à la même coupe, à l'endroit précis où l'autre vient de poser ses lèvres* ".

Enfin, les vertus médicinales et antiseptiques du vin ont été reconnues depuis l'Antiquité. Hyppocrate en prescrivait à des fins diurétiques et antipyrétiques. A partir du XVIIIᵉ siècle, la pharmacopée précise les qualités spécifiques de chaque terroir (cent soixante-quatre vins médicinaux) : on prescrivait le vin blanc à des fins diurétiques, le bourgogne rouge pour traiter la dyspepsie, le bordeaux rouge contre les troubles digestifs.

Les découvertes de Louis Pasteur ouvrient les portes à l'œnologie et à la " *médecine du vin* ", lorsqu'il déclara que ce dernier est " *la plus saine et la plus hygiénique des boissons* ".

❤ Le vin comme solvant du " surmoi "

Les médecins auraient bien du mal à convaincre que l'alcool ne fait pas bon ménage avec l'amour ! La plupart du temps, boire améliore l'humeur, relâche les freins à l'inhibition et nous pousse à agir comme nous n'oserions jamais le faire quand nous sommes sobres.

Le vin, à dose modérée, agit donc comme un " solvant du surmoi ", il dégèle bien les atmosphères, abaisse les barrières et laisse libre la voie à l'extension du domaine du désir.

Ainsi deux ou trois verres permettent d'ouvrir sa carapace, de se désinhiber et d'encourager les fantasmes !

Au-delà, l'alccol qui déhydrate peut avoir l'affet inverse, à savoir assoupir, donc ne vous laissez pas aller !

❤ Autres vertus bénéfiques

• Le vin rouge contient des flavonoïdes et d'autres substances complexes comme la quercétine, le resveratrol et l'éthanol qui sont responsables de l'effet protecteur vis-à-vis des accidents cardio-vasculaires. En décembre 1998, une équipe de recherche danoise a rapporté que les sujets qui consomment du vin présentent un risque d'accident cardio-vasculaire plus faible que les sujets qui ne consomment jamais !

- Une étude réalisée par l'Insem a montré qu'une consommation d'alcool modérée est associée à un meilleur fonctionnement des capacités cognitives chez les femmes âgées. Selon les principaux auteurs de l'étude, l'effet du vin à dose modéré correspond à un " *rajeunissement des cellules mentales de l'ordre de deux ans* ".

- Un autre axe de recherche intervient au niveau des études relatives à la pathologie cancéreuse. Le resvératrol, une molécule que produit le raisin, pourrait se défendre contre l'attaque du botrytis cinerea et par la même bloquer les principales étapes de la cancérogénèse tant au niveau de l'initiation et du développement que de la progression des tumeurs.

♥ Conseils d'utilisation

- Quant à la quantité de vin, il nous faut prévenir des dangers de l'abus d'alccol. Les doses, indiquées en nombre de verres, sont impératives. Tout dépassement amène à des dérapages qui ne relèvent plus alors du maintien de la santé mais au contraire de l'accoutumance, puis de l'alcoolisme.

- L'abus d'alcool est dangereux pour la santé ! Ne pas dépasser trois verres par jour. Au délà son effet peut provoquer le " coupe de massue " et empêcher l'érection. Une soirée bien arrosée devra s'étaler dans le temps et les verres d'alcool devront être entrecoupés de verres d'eau ou mieux de jus d'orange pour éviter la déshydration et le " coup de barre " inhérent à une consommation non négligeable.

- Sur la qualité du vin, il est recommandé de boire du vin rouge. Selon un principe de bon sens, plus le vin sera de meilleure qualité, plus ses apports en matière de sexualité seront élevés. Cela

veut dire que l'on délaissera les vins qui ne sont pas commer-
cialisés en bouteilles de verre et cachetés. Sans rechercher des
bouteilles ruineuses, préférez du vin AOC (appellation d'origine
contrôlée) à un vin de table ou de pays.

RECETTES POUR METTRE LE CŒUR EN FÊTE...

LES ENTRÉES

♥ SOUPE AUX HERBES APHRODISIAQUES

Passer au mixeur une petite poignée de romarin, coriandre en feuilles, basilic, thym, persil, sarriette, menthe sauvage et 6 gousses d'ail. Délayer-le tout avec de l'huile. Saler, poivrer et mettre dans une soupière. Couvrir avec des languettes de pain grillé ou rassis. Faire pocher 4 œufs, les retirer et verser 1 litre d'eau chaude dans la soupière. Ajuster l'assaisonnement, le goût doit être relevé. Poser ensuite les œufs sur les morceaux de pain flottant en surface.

♥ SOUPE MUSCLÉE

Laisser tremper 20 g de cèpes séchés dans 125 ml d'eau froide. Pelez et hachez finement 1 oignon et 1 gousse d'ail. Griller légèrement 30 g de seigle grugé fin dans une poêle sans graisse. Ajouter 1 cuillerée à soupe de beurre, le demi-oignon, l'ail et 1 cuillerée à café de coriandre, et griller rapidement le tout. Allonger avec 450 ml de bouillon de légumes (déshydraté), assaisonner avec sel, poivre et noix de muscade. Continuer la cuisson sans couvercle. Egoutter les champignons et recueillir l'eau de cuisson. Couper les champignons en petits morceaux et les mettre dans la soupe. Laisser bouillonner pendant 20 minutes sans couvrir et mélanger de temps en temps. Ajouter 20 g de crème fraîche allégée, saler, poivrer et saupoudrer de persil haché.

♥ SOUPE LÉGÈRE AUX CREVETTES

Faire pocher 6 grosses crevettes crues dans l'eau bouillante. Egoutter, passer 6,5 dl de bouillon de cuisson des crevettes et décortiquer-les. Dans le liquide frémissant, ajouter 1 tige de citronnelle coupée en morceaux de 3 cm, 3 feuilles de combava, 3 cuillerées à soupe de jus de citron, 1 cuillerée à soupe de saumure de poisson nuoc-mâm et 4 piments frais. Goûter et vérifier l'assaisonnement. Ajouter une botte de coriandre fraîche, grossièrement hachée. Servir immédiatement.

♥ SOUPE À BOIRE AVANT L'AMOUR

Ebouillantez rapidement 1 kilo de tomates bien mûres, enlevez la peau et les pépins. Lavez une botte de légumes pour la soupe et coupez-les en petits morceaux. Pelez 1 oignon moyen et 1 gousse d'ail, et hachez-les finement. Faites chauffer 1 cuillerée à soupe d'huile d'olive, commencez la cuisson des légumes. Ajoutez les tomates, l'oignon, l'ail et les herbes (1 branche de romarin séché, 2 branches de thym) et laissez cuire pendant 30 minutes à feu doux. Passez au mixeur. Ajoutez 1/3 de litre de bouillon de légumes et 50 g de crème fraîche allégée, et réchauffez encore une fois le tout. Pour terminer, ajoutez 75 g de crevettes, assaisonnez et saupoudrez de ciboulette hachée.

♥ SOUPE AUX CAROTTES ET AUX GINGEMBRE

Emincer 1 oignon et râper 750 g de carottes. Faire revenir l'oignon dans l'huile pendant 3 minutes. Ajouter 1 cuillerée à café de rhizome de gingembre frais, mouliné, les carottes, sel, poivre. Faire revenir quelques instants et ajouter 75 cl d'eau. Laisser mijoter et passer au mixeur. Goûter pour rectifier l'assaisonnement.

❤ SOUPE AUX MILLE ENVIES

Lavez et nettoyez 1 kilo d'un mélange de coquillage (coques, moules). Lavez une demi botte de légumes pour la soupe et les couper en petits dés. Pelez 1 gousse d'ail et la hacher. Chauffez 1 cuillérée à soupe d'huile de pépins de raisin, cuisez les légumes pour la soupe et l'ail. Poivrez et ajoutez 2 tiges de persil. Allongez avec 125 ml de vin blanc sec. Ajoutez les coquillages et laissez-les cuire doucement pendant 5 minutes, pour qu'elles s'ouvrent. Filtrez le fond de moule et retirez les coquillages de leur coquille. Pelez 300 g de rutabagas et coupez-les en petits dés. Lavez 1 poireau et le couper en fines lamelles. Chauffez 40 g de beurre, ajoutez 300 ml de fond de veau en bocal, puis 400 ml de fond de moules et 1 pincée de poudre de fenouil, et salez. Laissez cuire 30 minutes à feu doux. Ajoutez 50 g de crème fraîche allégée et mélangez bien. Pour terminer, ajoutez les coquillages, réchauffez pendant 1 à 2 minutes et assaisonnez.

❤ SOUPE ENJOLEUSE AU FENOUIL

Hacher menu une belle carotte et un bulbe de fenouil et les mettre dans une casserole d'eau froide. Ajouter une pointe de sarriette, un gros oignon, un clou de girofle, du sel et du poivre.

❤ POTAGE AU CÉLERI

Nettoyez et épluchez 1 céleri branche, 1 gros oignon, 300 grammes de pommes de terre en petits morceaux. Faites dorer le céleri et l'oignon dans un auto cuiseur avec une pincée de thym. Ajoutez 1,5 litre d'eau salée, puis les pommes de terre. Faites cuire à petit bouillon environ une demi heure. Passez au mixeur.

♥ CRÈME ONCTUEUSE DE CÉLERI

Prendre 2 pieds de céleri et les débarrasser de leurs feuilles. Les couper en menus morceaux puis les faire blanchir dans une casserole d'eau salée deux à trois minutes. Puis retirer de l'eau bouillante et laissez égoutter. Lorsqu'ils sont redevenus froids, les hacher en morceaux plus petits puis les remettre dans la casserole, cette fois vide, avec 1 pointe de fécule, 1 grosse noix de beurre, 2 pincées de muscade râpées, du sel et de la moutarde. Recouvrir de 20 cl de lait et laisser cuire à feu moyen jusqu'à ce que la crème ait pris de la consistance.

♥ SOUPE ARDENTE DE CÉLERI AU BLEU

Laver un céleri rave avec verdure et 200 g de pommes de terre, les peler et les couper en dés. Garder la verdure du céleri. Peler 1 oignon et l'émincer. Chauffer de l'huile de pépins de raisins dans une casserole et cuire les légumes à feu doux. Assaisonner de sel, de poivre et de muscade. Allonger avec 200 ml de fond de légume et 1 litre d'eau. Laissez cuire pendant 30 minutes, à couvert. Mixer finement les légumes, les réchauffer encore une fois et les assaisonner. Battre 75 g de crème fraîche et l'incorporer. Emietter 50 g de bleu. Laver et hacher 1/2 botte de ciboulette et la verdure de céleri. Disposer la soupe dans les assiettes et saupoudrer de ciboulette, de verdure de céleri et de fromage.

♥ ROYAL ET CROQUANT DE CÉLERI

Epluchez un céleri branche, réservez les feuilles jaunes. Taillez des tronçons de 5 cm. Faites tremper 1 feuille de gélatine dans l'eau froide. Epluchez et coupez 120 g de céleri-rave en morceaux, faites le cuire dans 80 g de crème liquide pendant 15 minutes, salez.

Réduisez en purée, passez au tamis fin, faites-y fondre la gélatine égouttée, laissez refroidir. Incorporez 10 g de jus de truffe et 20 g de crème montée en chantilly. Rectifiez l'assaisonnement. Réservez au froid. Garnissez les tronçons de royal de céleri à l'aide d'une poche à douille cannelée de 1,5 de diamètre. Piquez une feuille de céleri, parsemer de graines de céleri.

❤ POTÉE AU CÉLERI

Epluchez 1 céleri branche bien blanc, 1 gros oignon, 2 carottes, 1 panais, 500 grammes de pommes de terre en morceaux moyens. Dans un autocuiseur, faites dorer le céleri, les carottes, le panais et l'oignon avec 1 branche de sarriette. Salez et ajoutez les pommes de terre, puis un verre d'eau. Faites cuire à feu doux. Ajoutez de l'eau en cas de besoin.

❤ CRÈME D'AIL SUR CANAPÉ

Prendre 3 têtes d'ail épluchées, du thym, du laurier et les longer un bon quart d'heure dans une casserole d'eau bouillante salée. Mettre ensuite dans un mixeur avec 25 cl de crème fraîche allégée, du persil, du poivre de Cayenne et une cuillerée d'huile d'olive. Bien mixer. Faire griller ensuite de larges tranches de pain que l'on tartinera uniformément. Et tant pis pour votre haleine !

❤ CAROTTES VOLUPTUEUSES AU GINGEMBRE ET AU KIWI

Prenez 300 g de carottes râpées, 300 g de kiwi, 2 cuillerées à soupe de gingembre haché, 3 cuillerée à soupe d'huile de maïs, 5 cuillerées à soupe de jus de citron, sel , poivre. Versez le jus de citron sur les carottes râpées. Mélangez bien puis ajoutez le gingembre râpé et l'huile. Salez et poivrez puis mélangez à nouveau. Décorez avec des rondelles de kiwis. Servez frais.

♥ CAROTTES MAGIQUES AU CUMIN

Gratter 6 carottes et les couper en rondelles d'1 cm d'épaisseur. Faire cuire à la vapeur. Dénoyauter 12 olives noires et les couper en quatre. Disposer les carottes cuites et les olives dans un bol. Ajouter 2 cuillerées à soupe d'huile d'olive, 1 jus de citron, sel, poivre et 1 cuillerée à café de cumin fraîchement moulu.

♥ NUIT BLANCHE DE MELON AU GINGEMBRE

Prendre un melon de 500 grammes et le mixer avec 30 cl de fond de volaille, une demi verre de porto, du gingembre en poudre, du sel et du poivre. Servir glacé. Possibilité également de parsemer votre préparation de feuilles de menthe fraîches.

♥ MILLEFEUILLE DE SAINT-JACQUES

Choisissez 6 belles noix de Saint-Jacques fraîches ou surgelées et 2 demi-poivrons grillés surgelés. Décongelez-les. Dans un saladier, placez les poivrons, 1/2 gousse d'ail pillée, 1 cuillère à soupe de persil haché, le jus d'1 citron, 1 pincée de sucre et 1 cuillerée à soupe d'huile d'olive, salez, poivrez, mélangez et laissez macérer pendant 30 minutes. Pendant, ce temps émincez les noix en tranches de 3 ou 4 mm d'épaisseur. Assaisonnez-les selon votre goût puis passez-les à la poêle anti-adhésive pendant quelques secondes, avec 1 cuillère à soupe d'huile d'olive. Dans les assiettes, déposez délicatement les noix de Saint-Jacques et les poivrons grillés en couches successives. Servez aussitôt.

❤ FOLIE DE COQUILLES SAINT-JACQUES SUR SALADE DE FINES HERBES

Lavez une botte de cerfeuil et une botte d'aneth en retirant les tiges. Lavez 100 g d'oseille et 4 coquilles Saint-Jacques, les sécher et les arroser de jus de citron. Pour la marinade, mélangez 2 cuillerées à soupe de vinaigre, 4 cuillerées à soupe de bouillon et 1 cuillerée à café de moutarde. Pelez 1 gousse d'ail et pressez-là sur la marinade. Incorporez petit à petit 5 cuillerées à soupe d'huile d'olive. Salez et poivrez. Chauffez 1 /2 cuillerée d'huile de pépins de raisin dans la poêle. Faites dorer les coquilles Saint-Jacques pendant 5 minutes en les tournant. Saupoudrez de quelques morceaux d'ail finement hachés. Coupez les coquilles en deux, salez-les et poivrez-les. Mélangez la salade à la marinade, disposez sur des assiettes et dresser les coquilles dessus.

❤ SALADE DE LANGOUSTINE

Prenez 4 langoustines fraîches préalablement plongées 4 minutes dans l'eau frémissante. Mélangez le jus d'un citron, 1 cuillère à soupe de purée de tomate, 60 ml de crème fraîche, du sel et du poivre et une branche d'aneth hachée menu. Coupez un avocat en tranche et arrosez-le avec le jus de citron. Hachez une échalote. Présentez 100 g de cœur d'artichaut, les tranches d'avocat et les 2 langoustines sur l'assiette. Parsemez-y l'échalote hachée. Mélangez le reste des ingrédients pour en faire une sauce que l'on verse sur la salade. Terminez par l'aneth pour décorer.

❤ SALADE D'HUÎTRES

Prenez une douzaine d'huîtres sans la coquille, des feuilles de laitue, des betteraves cuites et tranchées, des olives, des tomates, des carottes crues râpées, des oignons, du sel, du poivre et un jus de citron. Disposez les ingrédients sur un lit de laitue. Dégustez !

♥ SALADE VERSAILLES

Prendre des queues de homards et d'écrevisses (ou bien du crabe en boîte), les saler, les poivrer et y ajouter un peu de muscade râpée. Intégrer ces ingrédients dans une mayonnaise ordinaire faite à l'huile de tournesol que l'on mettra sur le cœur d'une laitue fraîche autour de laquelle on disposera une trentaine de grammes de truffes coupées en fines lamelles et deux foies de dindonneau cuits au beurre.

♥ CREVETTES SUR FEUILLES DE SALADE

Lavez 350 g d'un mélange de salades vertes (mâche, feuille de chêne, pissenlit) et couper-les en petits morceaux. Nettoyez la moitié d'une botte d'oignons de printemps en rondelles. Rincez 10 grosses crevettes dans un écumoire. Coupez 1 poivron rouge en deux dans le sens de la longueur, épépinez-le, lavez-le et coupez-le en petits dés. Pour la marinade, mélangez le jus d'une orange, 2 cuillerées à soupe de vinaigre de sherry, le poivron et une pincée de sucre. Incorporez l'huile d'olive (4 cuillerées à soupe) en fouettant légèrement et assaisonnez avec du sel et du poivre. Mélangez 50 g de crème fraîche allégée et 50 g de crème épaisse allégée. Pelez une gousse d'ail, pressez-la et incorporez-la, assaisonnez avec du sel et du poivre. Juste avant de servir, mélangez les crevettes à la salade. Servez avec la crème d'ail et du pain.

♥ SALADE APHRODISIAQUE

Prenez de la roquette et de la laitue verte, à partie égale. Sur un fond de vinaigre de vin, d'huile d'olive, sel et poivre et gousse d'ail finement hachée.

❤ SALADE FRAÎCHEUR

Nettoyez 1 céleri-branche bien blanc et débitez-le en fines rondelles. Coupez 2 kiwis en cubes et 2 clémentines en morceaux puis 250 grammes de pommes de terre nouvelles cuites à la vapeur. Préparez une vinaigrette (huile d'olive, vinaigre, sel, poivre).

❤ SALADE DE BLÉ ARDENT À LA MENTHE

Pressez un citron. Versez de l'eau dans une grande casserole, ajoutez le jus du citron et 3 cuillerées à soupe d'huile d'olive, portez à ébullition. Ajoutez en pluie 200 g de blé en grains pré-cuits. Laissez cuire à petits bouillons pendant 20 minutes. Egouttez et laissez tiédir. Coupez 2 tomates en quartiers puis épépinez-les. Pelez un oignon rouge et coupez-le en petits dés. Epluchez 1 concombre, épépinez-le et coupez-le en tranches fines. Rincez et séchez 5 brins de persil et 2 brins de menthe dans du papier absorbant et ciselez-les. Versez le blé cuit dans un saladier, ajoutez les dés d'oignons rouges, les tranches de concombre, la menthe et le persil ciselés. Versez l'huile d'olive et poivrez. Mélangez le tout et réservez pendant une heure au frais. Au dernier moment, préparez la vinaigrette, versez sur le blé et mélangez. Décorez avec les quartiers de tomate avant de servir.

❤ SALADE D'ÉPINARDS AU SÉSAME

Bien laver 500 g de feuilles d'épinards et ne pas en retirer les tiges. Attacher tiges d'un côté et feuilles de l'autre, avec du fil de cuisine, de manière à faire une sorte de fagot. Faire bouillir de l'eau dans une grande marmite, saler, et ajouter le fagot d'épinards, qu'il faut maintenir sous l'eau. Attendre ainsi la reprise de l'ébullition et laisser cuire 2 minutes – au-delà, les feuilles perdraient leur belle couleur verte. Retirer de l'eau et égoutter sur un torchon. Rouler le fagot dans le torchon pour extraire l'excédent de liquide, et de manière à obtenir un long rouleau cylindrique. Enlever le fil. Couper en rondelle de 2 cm d'épaisseur, et poser dans le plat. Arroser d'une cuillerée et demi de sauce de soja. Dans une poêle, griller très légèrement 3 cuillerées à soupe de graines de sésames blancs (épiceries exotiques et marchands de fruits secs et graines) en remuant constamment pour qu'elles ne brûlent pas. Les passer au moulin à café à épice. Mélanger la poudre à ce qui reste de sauce de soja, en ajoutant le sucre et deux ou trois pincées de sel. Verser la sauce sur les épinards.

♥ SALADE STIMULANTE DE THON À L'AVOCAT

Découper une tranche de thon grillé, de 300 g en tous petits cubes et les mettre dans un saladier. Eplucher 2 avocats bien mûrs et découper la chair en cubes de 2 cm. Couper 4 oignons verts en fines rondelles, 4 petites tomates olivettes en petits cubes, hacher grossièrement 1 gros piment vert après l'avoir épépiné. Mettre le tout dans le saladier avec le thon. Râper par-dessus le zeste d'un citron, ajouter 5 brins de persils, 2 cuillerées d'huile d'olive, du sel et le jus de deux citrons verts. Vous pouvez également ajouter une cuillerée à café de rhizome de gingembre frais, finement râpé. Mélanger et laisser quelques heures au frais.

♥ OMELETTE DE VÉNUS

Confectionnez une omelette avec 4 œufs, une cuillerée à café d'huile, une autre de crème fraîche liquide, de la noix de muscade râpée, du persil, du basilic, de la sauge, de l'estragon, de la ciboulette, du cerfeuil, une gousse d'ail, du sel et du poivre.

❤ ŒUFS POCHÉS À LA PUREE DE TRUFFES

Purée de truffes : Mixer 20 grammes de truffes fraîches ou en conserve de première ébullition afin d'obtenir une purée fine. Faire réduire 5 cl de vin blanc moelleux de moitié, incorporez le jus de truffes, laisser frémir quelques instants, puis ajouter tout en remuant la béchamel (25 grammes de beurre, 10 grammes de farine, 7 cl de lait, sel, poivre) et 3 cuillères à soupe de crème fraîche. Incorporez la purée de truffes. Garder à feu doux pendant 3 minutes. Pocher 4 œufs dans une légèrement vinaigrée. Servir en assiette en recouvrant partiellement les œufs de purée, de truffes ainsi que les toasts vinaigrés.

❤ RAMEQUINS DE CREVETTES AUX TRUFFES

Couper en petits dés 25 grammes de truffes fraîches ou en conserve première ébullition en conservant 2 lamelles pour la décoration. Battre 4 œufs en ajoutant le jus de truffes et 3 cl de crème liquide, saler et poivrer, réserver 1 heure. Beurrer 2 ramequins, verser la préparation dans les ramequins et ajouter 5 à 6 crevettes par portion. Enfourner 15 minutes en plaçant les ramequins dans un bain-marie. Avant de servir, déposer une rondelle de truffe sur chaque ramequin.

❤ TRUFFES À LA CROQUE AU SEL

Préparation d'un beurre aux truffes (1 heure avant). Prendre une truffe, la hacher finement et l'incorporer à 50 grammes de beurre, qui sera présenté en portion, que l'on disposera sur chaque assiette. Couper 3 truffes fraîches en fines lamelles et les disposer dans les assiettes, saupoudrer d'une cuillerée à dessert de sel de guérande. Chauffer et dorer des tranches de pain de campagne. Tartiner chaque tranche de pain avec du beurre truffé, disposer quelques lamelles de truffe, saupoudrer de sel de guérande, déguster.

LES PLATS

♥ BROCHETTES SUCCULENTES DE POULET AUX ÉPICES

Prenez 300 g de blanc de poulet, 1/2 oignon, 1 gousse d'ail, 1 cuillerée à soupe d'huile d'olive, 1/2 cuillerée à café de paprika, 1 pincée de piment de cayenne, 1 citron, 1/2 cuillerée de cumin en poudre, 2 branches de persil plat, 2 branches de coriandre, sel, poivre. Pelez l'ail et l'oignon, hachez les herbes. Mélanger dans un plat creux ail, oignon, épices, herbes hachées, huile, sel, poivre. Coupez le poulet en gros cubes et placez-les dans la marinade pendant plusieurs heures au frais. Egouttez les morceaux de poulet, embrochez-les et faites-les griller au four. Servez avec du riz blanc.

♥ POULET CRÉOLE À LA NOIX DE COCO

Dans une grande cocotte faites dorer les morceaux de poulet dans l'huile. Ebouillantez 2 tomates, pelez-les, et coupez-les en petits morceaux. Ajoutez-les au poulet, ainsi que 2 oignons émincés, 4 gousses d'ail pillées, 1 cuillerée à café de safran séché en poudre, 1 cuillerée à café de poivre noir en grains et 2 cuillerées à café de curry. Mouillez avec 1 verre à moutarde de bouillon de légumes et 1 verre de vin blanc sec. Laissez cuire pendant 15 minutes, ajoutez un verre de lait de noix de coco, et laissez frémir 5 minutes, le poulet doit être tendre. Rectifiez l'assaisonnement. Servez avec des bananes dorées à la poêle.

❤ AIGUILETTES DE POULET AU POIVRON ET AU BASILIC

Découpez 2 blancs de poulet fermier en aiguillettes. Disposez-les dans un plat, arrosez-les de jus d'un citron, poivrez et laissez mariner. Pendant ce temps, épluchez 3 échalotes, lavez et épépinez 1 poivron rouge et 1 poivron jaune (ou vert), coupez le tout en lamelles. Dans une poêle, faites chauffer 3 cuillerées d'huile de tournesol. Et jetez-y les légumes. Poivrez. Lorsqu'ils sont dorés, ajoutez le poulet avec son jus de marinade. Couvrez et laissez mijoter 8 minutes. Lorsque c'est cuit, ajoutez 1 poignée de feuilles de basilic fraîches découpée au ciseau et retirez immédiatement du feu. Remuez et servez.

❤ BLANC DE POULET À LA SARRIETTE

Soulever la peau des blancs de poulet et y glisser beaucoup de sarriette fraîche, saler, poivrer. Cuire au four ou dans une cocotte ou à la poêle. Mettre le côté peau dans l'huile. Puis retourner. Blanchir des pousses d'orties blanches dans l'eau salée. Les égoutter, les ajouter aux blancs de poulet et laisser cuire dans le jus de cuisson du poulet. Servir tout ensemble.

❤ FRICASSÉE DE POULET AUX DEUX CÉLERIS

Pelez et coupez deux céleris-raves en cubes. Mettez-les à macérer 1 heure dans un saladier avec le jus d'un citron et de l'eau à niveau. Pelez et émincez 5 oignons. Tronçonnez 4 côtes tendres de céleri branche. Faites fondre les oignons dans une grande sauteuse avec 2 cuillerées à soupe d'huile d'olive (7 à 8 minutes sur feu doux). Enlevez-les du récipient. A leur place, dorez des morceaux de poulet 10 minutes avec le reste d'huile. Arrosez-les du jus d'un citron, salez, poivrez. Versez 20 cl de bouillon cube de volaille et de l'eau à niveau. Portez à ébullition. Ajoutez les oignons, le céleri-rave égoutté et le céleri-branche. Couvrez, laissez mijoter une heure. Egouttez le poulet et sa garniture. Faites fondre 20 grammes de beurre, ajoutez 1 cuillerée à soupe rase, le jus de 2 citrons et le jus de cuisson du poulet. Fouettez 2 œufs. Ajoutez-leur peu à peu la sauce au citron. Faites mousser le mélange au fouet sans bouillir. Nappez-en le poulet. Parsemez de persil, servez.

♥ LAPIN AUX OLIVES ET AU SAFRAN

Coupez un lapin en morceaux. Epluchez 2 oignons moyens et 8 gousses d'ail, les hacher grossièrement. Dénoyauter 20 olives noires. Mettez 1 cuillerée à café de safran à infuser dans un peu d'eau très chaude. Plongez 2 grosses tomates bien mûres pendant quelques secondes dans l'eau bouillante, épluchez-les et épépinez-les. Faites chauffer de l'huile dans une cocotte à fond épais. Faites-y revenir les morceaux de lapin jusqu'à ce qu'ils deviennent dorés. Ajoutez l'ail et l'oignon, faites revenir 2 minutes. Ajoutez les tomates concassées, les olives, le safran infusé, 20 cl de vin blanc, du sel, 1 cuillerée à café de sucre, 1 feuille de laurier et 1 cuillerée à café de thym séché. Mélangez-bien, portez à ébullition et laissez mijoter une heure à une heure et demie, couvert. Laissez évaporer la sauce si elle paraît trop liquide en fin de cuisson.

♥ AGNEAU RELEVÉ AU CITRON

Demander au boucher de désosser 400 g d'épaule d'agneau. La couper en cubes de 2,5 cm en ôtant le maximum de gras. Faire chauffer de l'huile dans une cocotte et faire revenir les morceaux d'agneau jusqu'à ce qu'ils soient dorés. Retirer de la cocotte et réserver. Couper 1 citron en quartiers et mixer jusqu'à obtention d'un gros hachis puis réserver. Eplucher 1 oignon moyen et 3 gousses d'ail et hacher grossièrement au mixeur. Les mettre dans la cocotte et faire revenir jusqu'à ce qu'ils deviennent transparents. Ajouter la viande, 1 cuillerée à soupe de paprika, sel et poivre, citron, 1 cuillerée à café de cumin et 1 cuillerée à coupe de raisins secs. Couvrir et laisser mijoter 1 heure. La sauce doit être assez courte et épaisse. Si elle paraît trop liquide, l'évaporer en laissant cuire à découvert. Servir saupoudré de feuilles de coriandre hachées.

❤ PORC GRILLÉ AU GINGEMBRE ET À L'AIL

Faire chauffer une cuillerée d'huile dans un wok et faire revenir rapidement 100 grammes de carottes et autant de petits pois mange-tout. Ajouter le porc en tranches fines, puis un verre de cherry ou de vin rouge et un peu d'eau, le gingembre râpé et deux gousses d'ail pilées. Porter à ébullition. Verser alors deux cuillerées à soupe de soja, une demi de miel et les cinq épices du ciel. Bien mélanger et couvrir. Laisser mijoter pendant une heure jusqu'à ce que le porc soit tendre. Réserver la viande au chaud, faire réduire la sauce et verser sur la viande au moment de servir avec du riz ou des légumes verts.

❤ ROMANCE DE PORC À LA SAUGE

Badigeonner 400 g de rôti de porc dans le filet avec de la moutarde, saler et poivrer généreusement puis l'entourer complètement de feuilles de sauge (2 poignées environ) qui colleront sur sa surface. Poser la viande au milieu de la feuille de papier d'aluminium, envelopper en un paquet étanche et le poser dans un plat à four. Cuire 1 heure à four thermostat 5. Défaire le paquet, recueillir soigneusement le jus et le mettre dans une saucière, retirer les feuilles de sauge et servir immédiatement.

❤ FILETS MIGNON DE PORC CONFITS À LA SARRIETTE, AU ROMARIN ET AU THYM

Laissez mariner les mignons de porc douze heures au moins dans l'huile avec romarin, sarriette et thym, ail juste écrasé. Sautez rapidement les filets puis emballez-les dans des feuilles de papier aluminium et terminez-les au four (160° C environ 120 minutes). Pendant ce temps, déglacez la poêle avec un mélange tant pour tant d'eau et de citron et réduisez en décollant les " sucs ". Mouillez à la crème et terminez avec un peu de fond de veau lié bien corsé pour colorer la crème. Bouillez sans prolonger et liez avec une noix de beurre frais. Débarrassez les filets mignons, escalopez-les larges, placez-les sur l'assiette et nappez. A l'envoi saupoudrez de paprika doux.

❤ CÔTELETTES D'AGNEAU EXPRESS MOUTARDE ET MIEL

Pratiquez quelques incisions sur les bords de la côtelette pour l'empêcher de " retrousser " lors de la cuisson. Badigeonnez-la ou faites mariner (minimum 3 heures) dans un mélangé composé de 50 ml d'huile d'olive, 15 ml de jus de citron, 30 ml de miel et 30 ml de moutarde. Faites griller à four très chaud ou dans une poêle très chaude avec un minimum d'huile 4 minutes de chaque côté.

❤ MAQUEREAU AU VINAIGRE ET AU GINGEMBRE

Prenez deux maquereaux de taille moyenne, retirez la peau et les arêtes, et découper la chair en tranche d'1 cm. Saupoudrez généreusement de sel et laissez macérer 3 ou 4 heures. Mélangez 20 cl de vinaigre blanc, 3 cuillerées à soupe de sucre et 2 pincées de sel. Versez sur le poisson et laissez mariner encore 1/2 heures. Coupez en julienne 300 g de radis noir, ainsi que 300 g de carottes et un morceau de rhizome de gingembre de 8 cm soigneusement pelé.

Coupez un oignon vert en fines tranches. Retirez le poisson de la marinade, et arrangez les morceaux sur deux assiettes individuelles. Entourez le poisson des légumes et gingembre crus coupés en julienne, en alternant les couleurs. Versez par-dessus la marinade au vinaigre, et servez après avoir reposé 10 minutes.

♥ FILETS DE CABILLAUD AU MIEL D'ÉPICES

Choisissez deux beaux pavés de cabillaud de 150 g chacun, pris dans la partie dorsale du filet. Faites chauffer 10 g de beurre dans une petite casserole jusqu'à ce qu'un dépôt blanchâtre se dépose au fond et que le beurre transparent surnage. Versez le beurre dans un bol et jetez le dépôt. Allumez le four, thermostat 9. Versez le beurre dans une poêle anti-adhésive. Faites y dorer les filets de cabillaud, 1 minute de chaque côté. Mettez-les ensuite dans un grand plat au four. Versez 1 cuillère à soupe de sirop de canne et 1 cuillère à soupe de miel mille-fleurs dans une petite casserole. Posez-la sur un feu vif et laissez cuire jusqu'à obtention d'un caramel couleur d'ambre. Ajoutez alors les épices : 1/2 cuillère à soupe de poivre concassé, 1/2 cuillère à soupe de cumin en poudre, 1/2 cuillère à soupe de coriandre, 1/2 cuillère à soupe d'anis étoilé et de curry. Mélangez et retirez du feu. Badigeonnez les filets de cabillaud de ce mélange, dessus, dessous, et glissez le plat au four. Laissez cuire 2 minutes, puis éteignez le four et laissez-y reposer le plat 5 minutes. Servez chaud.

♥ PAVÉS DE SAUMON AU FENOUIL ET AU CÉLERI

Epluchez, lavez et coupez en dés 1 branche de céleri en branche et 1 bulbe de fenouil. Réservez quelques brins de fenouil pour le décor. Dans une cocotte, faîtes revenir les dés de légumes dans 2 cuillerées à soupe d'huile d'olive. Poivrez. Laissez cuire environ 8 minutes à feu moyen, en remuant de temps en temps. Posez les pavés de saumon sur les légumes. Poivrez à nouveau et parsemez avec 1 cuillerée à café de graines d'anis. Couvrez et laissez cuire pendant environ 10 minutes, en retournant les pavés à mi-cuisson. Lorsqu'ils sont cuits, disposez-les sur les assiettes et servez aussitôt, en les décorant avec quelques brins de persil.

♥ DUO DE SOLES AUX YEUX DOUX

Prendre deux soles vidées et nettoyées, queues et têtes coupées, et les mettre dans une poêle avec de l'huile chaude dans laquelle ont ajoutera du sel et du poivre. Mettez ensuite les soles à griller avec un beau bulbe de fenouil découpé en plusieurs morceaux. Préparez la sauce suivante en mélangeant 70 g de beurre, 1 cuillerée à soupe de câpres, 1 pincée de sarriette, 1 pincée de persil, 2 tiges de ciboule, 3 anchois écrasés, du sel et du poivre. La laisser cuire un quart d'heure puis la verser sur les soles.

♥ POISSON ÉPICE À L'AIL ET AU LAIT DE COCO

Mélangez 1 clou de girofle moulu, 2 capsules de cardamone verte moulues, 1 piment chili épépiné et écrasé, 2 gousses d'ail pelées et écrasées, 1 cm de racine de gingembre pelée et hachée et une cuillerée à café de garam musala. Salez. Incorporez à ce mélange assez de jus de citron pour obtenir une pâte lisse et épaisse. Rincez 225 g de filet de poisson (sole, carrelet ou tout autre poisson blanc), essuyez-les avec du papier absorbant et enrobez-les de tous côtés d'une épaisse couche de pâte. Faîtes chauffer de l'huile de moutarde dans une grande sauteuse et faites-les frire de chaque côté jusqu'à ce qu'il soient tendres. Placez les filets dans la sauteuse et faites-les frire de chaque côté jusqu'à ce qu'ils soient bien dorés. Nappez les filets de lait de coco, salez. Couvrez-les et laissez cuire 15 minutes à feu modéré. Parsemez de coriandre ciselée.

❤ SUCCULENT CARI DE POISSON

Couper 1/2 kilo de poisson à chair ferme – thon, lotte, espadon, marlin – en cubes de 3 cm ou en tranches de 2 cm d'épaisseur. Concasser 5 tomates olivettes bien mûres. Dans un mixeur, hacher fin 4 gousses d'ail, 4 piments frais, 1 cm de rhizome de gingembre, le zeste d'1/2 combava ou 2 feuilles de combava et du sel. Hacher à part 2 oignons moyens. Chauffer l'huile dans une cocotte, et faire revenir les oignons et 1 branche de thym. Quand ils commencent à dorer, ajouter le gingembre, le piment et 1/2 cuillerée à café de curcuma. Bien remuer et ajouter les tomates. Couvrir et laisser mijoter une dizaine de minutes. Ajouter les morceaux de poisson, et un peu d'eau si la sauce paraît trop courte. Couvrir et laisser cuire 10 minutes à feu moyen. Servir saupoudré d'oignons verts et de persil haché.

❤ BAR AU GINGEMBRE ET À LA CIBOULETTE

Mettre dans l'eau bouillante salée un beau bar. Couvrez et laissez frémir 5 minutes. Egouttez et mettez sur un plat réchauffant. A côté, vous avez mélangé : une cuillerée à soupe de sauce soja, une cuillerée à café d'huile de sésame, une cuillerée à café de racine fraîche de gingembre râpée. Versez sur le poisson. Ajoutez la ciboulette hachée et servez avec du riz ou des pommes de terre.

❤ CARPACCIO DE THON ROUGE SENTEUR TROIS MOUTARDES

Achetez 300 grammes de thon rouge. L'émincez afin qu'il devienne très fin et bien rond puis mettez-le dans une assiette. Coupez 40 grammes d'oignons, 60 grammes de carottes et 80 grammes de concombre en brunoise (petits dés). Salez, poivrez et déposez autour du thon. Nappez de trois sorte de moutarde, rouge, verte et jaune. Saupoudrez d'olives vertes et noires. Dans un petit bol, mélangez 35 cl de sauce soja, 35 cl de vinaigre balsamique et un trait de jus de citron. Ajoutez 200 cl d'huile d'olive doucement au fouet pour faire la vinaigrette. Salez et poivrez. Décorez de ciboulette. Versez la ciboulette et servez.

❤ DORADE EN ÉCAILLES DE GINGEMBRE ET FENOUIL

Ecaillez et nettoyez une belle dorade. Epluchez 200 grammes de gingembre frais et émincez-le très finement, au robot si possible, pour obtenir des rondelles transparentes. Enlevez la peau qui entoure les rondelles. Nettoyez et émincez 4 bulbes de fenouil, ajoutez une gousse d'ail entière. Salez, poivrez, ajoutez 250 ml de vin blanc sec. Couvrez d'une feuille de papier d'aluminium. Mettez 10 minutes à thermostat 7 dans un four préchauffé. Pendant ce temps, préparez la dorade : recouvrez-la avec les rondelles de gingembre de façon à reformer des écailles. Salez, poivrez. Sortez du four le fenouil précuit. Retirez le papier d'aluminium, placez la dorade sur les légumes. Cuisez encore 20 minutes. Retirez l'ail. Servez dans le plat de cuisson.

❤ CREVETTE AU GINGEMBRE

Achetez 400 g de crevettes roses décortiquées et 100 g de gingembre frais. Pelez le gingembre et coupez-le en fins bâtonnets. Pelez 1 gros oignon et hachez-le. Délayez 1 cuillère à soupe de fécule et 1 cuillère à soupe de sucre semoule dans 3 dl de coulis de tomate nature. Mettez l'oignon dans une poêle anti-adhésive. Ajoutez 1 cuillère à soupe d'huile d'arachide et 4 cuillères à soupe d'eau. Faites cuire 4 à 5 mn sur feu modéré, jusqu'à ce qu'il n'y ait plus de liquide et que les oignons soient blonds. Ajoutez le gingembre, mélangez 1 mn, puis versez le coulis de tomate. Portez à ébullition, salez et poivrez. Laissez bouillir 1 mn, le temps de réchauffer les crevettes, sans les faire récuire car elles durciraient. Versez les crevettes dans un plat creux, parsemez de coriandre ciselées et servez, accompagné de riz parfumé.

❤ PÉTONCLES VOLUBILES AU VIN BLANC

Trempez 1 kilo de pétoncles dans de l'eau froide légèrement vinaigrée, nettoyez-les, et changez l'eau 2 ou 3 fois. Epluchez 4 oignons et hachez-les grossièrement. Epluchez et écrasez 1 gousse d'ail. Faites chauffer de l'huile dans une grande marmite, faites-y revenir les oignons et l'ail pendant 2 minutes. Ajoutez les pétoncles, salez et poivrez, couvrez et laissez ouvrir les coquillages, ce qui ne prend guère plus de 3 minutes. Versez 12 cl de vin blanc sec et remuez. Retirez du feu lorsque le liquide bout à nouveau. Retirez les pétoncles de la marmite avec un écumoire, ôtez les coquilles. Remettez les pétoncles dans le liquide de la marmite et versez le tout sur un plat creux rempli de spaghettini cuits al dente. Mélangez et servez immédiatement.

❤ MERVEILLEUSES PALOURDES AUX HERBES

Nettoyez et lavez soigneusement 1 kilo de palourdes. Effeuillez un brin de romarin et hachez les feuilles, mélangez-les à 2 cuillerées à soupe d'aneth frais. Epluchez et hachez 2 gousses d'ail. Délayez 1 cuillerée à soupe de concentré de tomate dans 3 cl d'eau chaude. Faites chauffer de l'huile dans une cocotte en fonte. Jetez-y les herbes et l'ail, faites revenir 1 à 2 minutes et ajoutez les palourdes. Salez et poivrez généreusement. Ajoutez 4 cl de vin blanc, couvrez et laissez cuire 5 minutes. Ajoutez le concentré de tomates et continuez la cuisson encore 4 minutes. Servez immédiatement.

❤ COQUILLES SAINT-JACQUES AUX ALGUES

Réhydratez en quelques minutes les algues (1 poignée de laitue de mer en branches et 1 poignée de dulse en branches) dans très peu d'eau. Enveloppez chaque coquille Saint-Jacques (8 coquilles décortiquées) d'un ruban de laitue de mer bien vert et d'un ruban de dulse bien rouge. Salez et poivrez. Mettez dans le panier d'un cuit-vapeur et faites cuire 3 minutes. Servez nature ou, exceptionnellement, avec un peu de beurre fondu.

❤ CASSOLETTE DE MOULES AU CÉLERI BRANCHE

Nettoyez 2 litres de moules de bouchot. Rincez-les après avoir enlevé le byssus. Egouttez-les. Enlevez les fibres les plus dures des côtes d'un pied de céleri. Coupez le pied en petits dés. Gardez 2 ou 3 feuilles pour le décor. Pelez et hachez 3 échalotes. Epluchez 2 gousses d'ail et hachez-les. Partagez 1 grosse tomate en deux, enlevez les pépins. Coupez la pulpe en dés. Dans un faitout, faites fondre les échalotes dans une noix de beurre. Dès qu'elles sont transparentes, ajoutez le céleri, puis les moules. Arrosez de jus de citron. Faites ouvrir les coquillages en les remuant sans cesse (3 minutes environ). Ajoutez l'ail, de la ciboulette hachée, les feuilles de céleri et le hachis de tomate. Mélangez une minute. Enlevez les moules avec un écumoire. Répartissez-les dans des assiettes creuses. Versez 20 cl de crème fraîche dans le faitout. Faites-la bouillir 1 minute. Versez-la sur les moules. Poivrez, servez aussitôt. Cette recette sera aussi délicieuse avec un mélange de coquillages, palourdes, coques.

❤ SUPERBE PLATEAU DE FRUITS DE MER

Les bonnes quantités pour 2 personnes : 1 homard cuit de 450 g, 1 tourteau cuit de 750 g, 6 huîtres plates, 6 huîtres creuses, 12 moules nettoyées, 12 praires nettoyées, 6 langoustines cuites, 4 grosses crevettes cuites, 2 oursins, 120 g de bigorneaux cuits, 100 g de bulots cuits. Pour gardez vos fruits à la bonne température, étalez une couche de glace pilée sur le plat de service, puis recouvrez-la de varech. Disposez les fruits de mer par-dessus. Pensez à ouvrir les coquillages une heure environ avant le repas, et videz-les de l'eau de mer qu'ils contiennent. Ils sécréteront alors une seconde eau, beaucoup moins salée.

❤ HUÎTRES CHAUDES AU CHAMPAGNE

Achetez 2 douzaines d'huîtres creuses et ouvrez-les. Retirez les chairs, récupérez leur jus et réservez-les. Lavez et séchez les coquilles. Emincez finement 1 échalote et faîtes réduire avec du champagne (0,25 l) dans une casserole. Lorsque le champagne est tiède, ajoutez 3 jaunes d'œufs, 50 g de crème fraîche (à 15 %) et 2 cuillères à soupe du jus des huîtres. Montez la préparation à feu doux, comme une béarnaise. Faites pocher les huîtres dans leur jus pendant 30 secondes. Remettez les chairs dans les coquilles. Filtrez le reste du jus et incorporez-le à la sauce. Nappez les huîtres de cette préparation, poivrez et faites-les gratiner 3 minutes sous le gril du four. Placez 6 huîtres sur chaque assiette garnie de gros sel.

❤ HUÎTRES CHAUDES AUX LÉGUMES

Faites cuire 1 courgette, 2 carottes et 2 navets coupés en dés. Egouttez. Sortez 20 huîtres de leur coquille. Tapissez chaque coquille d'une feuille d'épinard. Faites pocher les huîtres dans 1 dl de vin blanc avec une échalote émincée. Egouttez-les, déposez-les dans les coquilles. Couvrez de légumes. Faites réduire le jus de cuisson, ajoutez 120 g de beurre, 1 cuillère à soupe de crème fraîche, sel, poivre. Versez 1 cuillère de sauce sur chaque huître.

❤ FARANDOLES DE LANGOUSTES

Ebouillantez deux belles langoustes puis les faire mariner deux jours dans de l'huile à laquelle on aura incorporé du poivre et des graines de coriandre pilées. Filtrez l'huile. Prenez ensuite un demi thon, un petit congre, une sole et deux ou trois sardines. Mettez à tremper ces poissons dans du jus de citron dans lequel on aura ajouté : 1 piment frais découpé en fines lamelles, du sel et du poivre, 3 pincées de sarriette et 1 tige de ciboule. Faites mariner durant 4 heures. Egouttez et farinez les poissons. Plongez-les dans un bain de friture en n'oubliant pas les deux langoustines.

❤ ARDENTS BROCOLIS AUX NOIX DE CAJOU ET AUX GRAINES DE SÉSAME

Chauffez une poêle sur feu modéré et y faire dorer 50 g de graines de tournesol et 50 g de noix de cajou. Réservez. A feu doux, faites dorer 1 cuillerée à café de cumin moulu, ajoutez les graines de tournesol et les noix de cajou et 1 piment rouge épépiné. Arrosez de 2 cuillerées à café de sauce de soja. Cuisez à l'étuvée 500 g de fleurettes de brocolis 5 à 8 mn. Servez garni des graines de tournesol et des noix de cajou.

❤ ŒUFS À LA COQUE DE LA SAINT VALENTIN

Pour préparer cette recette, il faut des truffes fraîches. L'orginalité tient au fait qu'il convient de parfumer les œufs avant la cuisson. Pour cela, 48 heures avant consommation, mettre 2 œufs non cassés avec 10 grammes de truffes dans un récipient hermétique. L' œuf en respirant absorbera les arômes des truffes. Cuire les œufs à la coque à votre façon, préparer les mouillettes en beurant du pain de campagne et en râpant la truffe dessus. Lorsque vous enlèverez le chapeau de l'œuf et que vous tremperez vos mouillettes truffées, vous serez surpris du résultat !

LES DESSERTS

♥ CROUSTILLANT DE GRAINES DE PARADIS AU CHO-COLAT ET GINGEMBRE CONFIT

Travaillez la pâte avec 75 grammes de farine, 75 grammes de sucre dans une jatte bien profonde, ajoutez 3 blancs d'œufs légèrement battus. Lorsque la pâte est homogène, ajoutez 75 grammes de beurre fondu. Etalez la pâte en forme de larmes de 10 cm de long et 6 cm dans leur plus grande largeur. Parsemez les larmes du mélange d'épice et cuisez au four à 185°. Lorsque les larmes ont pris une belle couleur " biscuit ", retirez-les du four et laissez-les refroidir. Servez avec une mousse au chocolat (150 g de chocolat fondant, 100 g de crème fraîche battue, 3 blancs d'œufs montés en neige avec 15 g de sucre) et une crème anglaise à la cannelle (1/2 litre de lait, 4 œufs, 30 g de sucre, 1 bâton de cannelle). Garnissez d'1 noix de gingembre confite et émincée, de 4 feuilles de menthe poivrée et de 4 fraises. Versez la crème anglaise sur l'assiette. Parsemez-la de boules de mousse au chocolat sur lesquelles vous poserez les croustillants.

♥ SUCCULENTES POIRES CONFITES AU CHOCOLAT

Pelez 4 poires en conservant la queue. Cassez 100 g de chocolat à cuire dans une casserole, ajoutez 0,25 litre d'eau et 100 g de sucre. Portez à ébullition. Réduisez le feu une fois le chocolat fondu. Faites pocher les poires 45 min à feu doux. Egouttez-les et réservez au frais. Laissez réduire le chocolat 15 min et versez bien chaud sur les poires froides.

♥ MOUSSE DE CHOCOLAT BLANC AU CONFIT DE PAMPLEMOUSSE ET GINGEMBRE

Pour la mousse : 250 grammes de chocolat blanc, 1 feuille de gélatine, 0,5 litre de crème, 4 œufs, 2 x 75 grammes de sucre. Faire fondre le chocolat au bain-marie, y ajouter la gélatine fondue dans un filet de crème. Ensuite, le ruban, les jaunes d'œufs et 75 grammes de sucre battus à blanc, le demi-litre de crème bien battue et pour finir avec une spatule et bien prudemment, les blancs d'œufs montés en neige avec 75 grammes de sucre. Garder au réfrigérateur 24 heures. Couper 5 kumquats d'orange et 5 kumquats de citron en fines tranches, ainsi que 30 grammes de gingembre en fine julienne. Faire mijoter le tout pendant 1 heure 30 à 2 heures dans un sirop (autant d'eau que de sucre) doucement sur le côté du fourneau à couvert, avec un bâton de vanille fendu en 2, un clou de girofle et une feuille de laurier. A la fin de la cuisson, ajouter 2 dl de jus de fruit de la passion. Peler deux pamplemousses à vif, enlever la partie blanche qui se trouve sur le zeste et couper les peaux en bâtonnets, style orangettes. Blanchir 4 à 5 fois à l'eau fraîche et cuire au sirop. Garnir le fond de l'assiette avec le sirop de kumquat. Faire 2 quenelles de mousse au chocolat, garnir avec les bâtonnets de pamplemousse confit. Saupoudrer de poudre de cacao amer.

♥ TRUFFES AU CHOCOLAT

Faire bouillir 375 grammes de crème allégée, jetez dedans 500 grammes de chocolat à cuire concassé, remuer jusqu'à ce qu'il soit fondu. Ajouter 1 sachet de sucre vanillé. Verser dans une terrine, laisser refroidir 12 heures. Au bout de ce temps, travailler cette pâte, à la spatule ou au fouet, jusqu'à ce qu'elle blanchisse et devienne ferme et en ajoutant petit à petit l'alcool choisi. Sur une grille de four, faire des petits tas avec la crème et mettre au froid jusqu'à durcissement complet. Faire fondre au bain-marie très doux (40° environ) le chocolat de couverture (250 grammes) en le travaillant à la spatule en bois jusqu'à ce qu'il soit bien lisse. A l'aide d'une fourchette à tremper, trempez-y les boules de chocolat que vous aurez arrondies entre les paumes. Rouler immédiatement dans le cacao à l'aide d'une fourchette. Ces truffes se conservent au moins 12 jours.

♥ GÂTEAU STIMULANT AU GINGEMBRE

Dans 1 litre de lait chaud, émiettez 200 g de biscuits à la cuillère. Ajoutez 2 sachets de sucre vanillé, 100 g de sucre, 6 jaunes d'œufs, 100 g de beurre fondu, 100 g d'amandes pulvérisées, 5 g de gingembre, 100 g de dattes coupées en deux et 150 g d'angéliques confites. Battez les 4 blancs d'œufs en neige et incorporez-les. Faites cuire une heure à four moyen dans un moule bien beurré. Après la cuisson, saupoudrez de sucre cristallisé et arrosez de gin.

♥ GÂTEAU EUPHORISANT AUX NOISETTES

Séparez les jaunes des blancs de 10 œufs dans deux grandes jattes. Ajoutez 750 g de sucre aux jaunes, et battez au fouet électrique jusqu'à ce que le mélange pâlisse. Mettez 800 g de noisettes entières dans un mixer et mixez à grande vitesse de manière à les réduire en poudre. Ajoutez la poudre de noisettes au mélange jaunes d'œufs et sucre, ajoutez 1/2 cuillerée à café de sel et 1 cuillerée à café de rhum, mélangez à la cuillère en bois. Battez les blancs en neige ferme, incorporez-les au mélange de noisettes. Ne tournez pas, mais raclez le fond de la jatte en ramenant vers le haut, ce qui évite aux blancs de tomber. Beurrez un moule rond aux bords assez hauts, de préférence amovible, de 25 cm de diamètre, farinez-le avec de la maïzena, et versez la préparation. Cuisez au four à thermostat 6/7 pendant 40 minutes. Une lame de couteau insérée au centre doit ressortir sèche. Démoulez et laissez refroidir sur une grille.

♥ CONFITURE PERFECT LOVE AU GINGEMBRE

Prenez 1 kl de miel des montagnes et 300 g de gingembre frais. Epluchez le gingembre, émincez-le, lavez-le plusieurs fois et faites-le bouillir 10 minutes dans une casserole. Egouttez-le, recommencez l'opération deux fois pendant 10 minutes et 20 minutes. Laissez-le égouttez une nuit. Puis, refaites-le bouillir avec le miel pendant 15 mn, recommencez 2 jours durant pendant la même durée.

♥ GELÉE SUCCULENTE À LA MENTHE

Hachez finement un gros bouquet de menthe sauvage et coupez 450 grammes de pommes à cuire en menus morceaux. Réunissez dans une casserole et couvrez d'eau. Faites cuire jusqu'à ce que les pommes soient molles. Mettez dans un tissu fin et laissez égoutter toute le nuit dans un saladier. Mesurez la quantité de liquide, puis ajoutez-y 350 grammes de sucre pour 600 ml. Versez dans une casserole, laissez fondre le sucre à feu doux puis faites bouillir rapidement jusqu'à ce que la gelée prenne. Laissez refroidir, mettez en bocaux et fermez hermétiquement. Cette gelée peut accompagner le porc et l'agneau. Remplacez la moitié des pommes par des fruits d'églantier, si vous en avez à disposition.

❤ GINGEMBRE CONFIT

Coupez en tranches le jeune rhizome et mettez à tremper dix jours dans de l'eau fréquemment renouvelée. Mettez à bouillir pendant une heure et égouttez longuement les tranches, puis faites-les mariner une journée dans un sirop de sucre peu concentré, puis dans un sirop très épais une journée encore. Egouttez et séchez ou conservez dans un autre sirop.

❤ ETOILES MAGIQUES À LA CANNELLE

Battez 4 blancs d'œufs au mélangeur électrique, puis incorporez-y graduellement du sucre et de la cannelle (60 ml, soit 1/2 de tasse à la fois). Battez environ 15 mn, jusqu'à ce que le mélange soit très ferme. Réservez 125 ml (1/2 tasse) du mélange et ajoutez au reste le zeste d'un citron et des amandes moulues. Battez longuement, puis incorporez le sucre à glacer avec une cuillerée en bois. Roulez la pâte obtenue à 1/12 cm (1/2 pouce) d'épaisseur, puis coupez-la avec un emporte-pièce en forme d'étoile. En laissant suffisamment d'espace entre chacune, placez les étoiles sur deux plaques à biscuits beurrées et brossez-les avec la demi-tasse de mélange précédemment réservée. Faites cuire à 175° pendant 20 minutes ou jusqu'à ce que les étoiles soient légèrement brunes.

❤ PETITS GÂTEAUX SURPRISES AU GERME DE BLÉ

Mélangez une cuillerée à soupe de miel et une cuillerée à soupe de margarine, 1/2 tasse de germe de blé, 1/2 de tasse de farine de soja, 1 pincée de sel. Ajoutez un mélange de miel et 1/2 de tasse de yaourt. Mélangez bien le tout, mettez dans des moules et faites cuire à four doux pendant 35 minutes.

❤ SOUFFLÉ CANNELLE-GINGEMBRE

Délayez dans une casserole un quart de litre de lait avec 70 grammes de farine tamisée environ, en y ajoutant une bonne noix de margarine et 60 grammes de sucre roux en poudre. Mettez à chauffer à feu doux tout en mélangeant soigneusement avec une spatule en bois. Puis retirez la casserole du feu et battez le tout avec vivacité. Ajoutez trois cuillerées à café de gingembre râpé et une autre de cannelle. Pour finir, battez en neige le blanc de quatre œufs et mélangez-le doucement, puis mettez dans un moule spécial à soufflé et au four trois quart d'heure.

❤ TOURTE ARDENTE AUX NOIX

Eplucher 5 pommes à cuire, les couper en morceaux et les cuire à feu doux avec une cuillerée d'eau, de manière à obtenir une compote la plus sèche possible. Mixer en purée, ajouter 180 g de sucre brun et 15 g de miel, mélanger. Faire une pâte brisée : mettre 350 g de farine complète, 1 pincée de sel, 1 cuillerée à soupe de sucre et 150 g de margarine au tournesol dans le bol d'un mixeur. Mixer 3 secondes, ajouter l'eau petit à petit en mixant à vitesse moyenne. Arrêter dès que la pâte forme une boule. Diviser en deux parts légèrement inégales. Tapisser un moule à tarte de 25 cm de diamètre avec la plus grosse part. Abaisser le reste en un cercle de la taille du moule. Hacher grossièrement 225 g de cerneaux de noix et les ajouter à la compote de pommes. Etaler dans le moule à tarte, recouvrir avec le cercle de pâte, bien couder les bords, faire quelques entailles sur le dessus et cuire 25 minutes au four à 200°C, thermostat 7.

❤ TARTE SÉDUCTION AU MELON

Prendre un bon gros melon de Cavaillon d'au moins un kilo, en retirer la chair et la mettre à cuire dans une grande casserole avec un grand verre de vin blanc de Bordeaux. A bout de dix minutes, ajouter un autre verre de vin, trois cuillerées à soupe de sucre en poudre, une cuillerée à café de cannelle en poudre, deux autres de gingembre en poudre, deux clous de girofle pilés et deux ou trois gouttes d'essence d'ambre. Verser ensuite dans une pâte brisée que l'on aura disposé dans un moule préalablement beurré. Laisser cuire une bonne demi heure.

❤ FRUITS SÉCHÉS AU MIEL ONCTUEUX

Lavez des pruneaux ou abricots ou raisins secs. Recouvrez-les d'eau chaude et d'une ou deux cuillerées à soupe de miel. Ne faites pas cuire mais laissez tremper 24 heures. Excellent pour la forme !

❤ PAMPLEMOUSSES ROSES CONFITS AU GINGEMBRE

Hachez 100 grammes de gingembre très finement. Découpez 2 pamplemousses roses en quatre et, à l'aide d'un couteau bien aiguisé, enlevez-leur presque toute la chair (vous pouvez la presser pour récolter le jus). Coupez ensuite chaque quartier en huit gros zestes égaux (chaque quartier en 2 dans sa longueur et chaque demi en quatre). Déposez ces quartiers de pamplemousse dans une grande casserole et mouillez-les de 3 litres d'eau. Portez à ébullition et laissez blanchir 5 minutes. Egouttez. Recommencez 2 fois l'opération et égouttez à nouveau. Redéposez les quartiers dans une casserole moyenne et ajoutez-y le sucre cristallisé gros. Mettez à cuire sur tout petit feu, laissez confire une petite heure. Mélangez régulièrement à l'aide d'une spatule. A la fin de la cuisson, ajoutez le gingembre haché et laissez encore confire 2 minutes. La cuisson terminée et à l'aide d'une cuillère et d'une fourchette, déposez les quartiers sur une grille en les espaçant quelque peu. Veillez à ce qu'il y ait un récipient en dessous de votre grille et laissez égoutter pendant 6 heures. Pour la finition, enlevez les quartiers de pamplemousse confits, les rouler dans le sucre en fin cristaux et déposez-les sur de petites assiettes. Servez après le café.

♥ CRÈME D'AMOUR À LA CANNELLE

Faire cuire 125 grammes de riz dans du lait écrémé à feu très doux durant 20 minutes après avoir mis trois cuillerées à café de cannelle et une pincée de sel. Laisser un peu refroidir puis arroser de deux giclées de sirop d'érable. Préparer un chocolat chaud classique avec une demi tablette de chocolat pâtissier dans laquelle vous rajouterez une cuillerée à soupe de crème fraîche, 5 grammes de sucre roux en poudre, 20 cl de lait, une cuillerée à café de cannelle et une autre de gingembre en poudre. Répartir le riz au lait dans deux grands ramequins et napper avec le chocolat chaud.

♥ CRÈME CŒUR BATTANT

Mettre dans un mortier et piler ensemble trois grains de poivre de Cayenne, une cuillerée à café de cannelle, une graine de cumin, deux clous de girofle, une cuillerée à soupe de sucre, une pointe de gingembre. D'autre part, préparer une crème de chocolat classique dans laquelle on met un peu de vanille, quelques gouttes d'extrait d'ambre et une pointe de cannelle. Mélanger soigneusement le produit du mortier avec la crème au chocolat, puis répartir dans deux ramequins. Mettre au frigo six heures.

♥ SABAYON ROYAL AUX CLOUS DE GIROFLE ET AUX POIRES

Mélangez 125 ml de vin blanc, 50 ml d'eau, 1/2 cuillerée à soupe de betterave, 2 cuillerées à soupe de sucre, 1 gousse de vanille.

Moudre grossièrement 1/2 tuyau de cannelle, 4 clous de girofle, 1 étoile d'anis et laisser imprégner pendant 30 minutes dans le sirop. Relever avec la moitié du jus d'1/2 citron et 1 cuillerée à café de calvados. Pelez 200 g de poires surettes, les diviser en huit, retirer les pépins et les arroser du reste de jus de citron. Déposer dans une casserole et arroser de sirop. Laisser cuire pendant 25 minutes, à feu doux. Pour le sabayon, faire fondre 30 g de sucre et y glacer 5 clous de girofle. Ajouter 100 ml de vin blanc et laisser absorber pendant 20 minutes. Filtrer et battre le sirop avec 3 jeunes d'œufs au bain-marie. Relever avec la poudre de clous de girofle et servir avec les poires.

❤ MOUSSE DELICIEUSE À LA CANNELLE

Mélangez soigneusement six jaunes d'œufs, 40 cl de Sauternes, 100 grammes de sucre roux en poudre et une cuillère à café de cannelle en poudre. Faites cuire à feu vif en remuant avec force. Ajoutez quelques gouttes d'essence d'ambre et de musc. Servez tout de suite.

❤ MOUSSE ONCTUEUSE AU SAFRAN

Prendre 300 g de crème fraîche allégée et y incorporer un dé à coudre de safran en poudre. Faire cuire à feu très doux durant une bonne heure. Puis une fois refroidi, passer au tamis. Dans un grand saladier, incorporez cette crème au safran dans 300 autres grammes de crème fraîche avec 75 grammes de sucre en poudre. Fouetter ensuite la crème. Mettre ensuite dans un moule que l'on aura préalablement enduit de beurre fondu et mettre à cuir dans le four, à feu moyen, durant trois quarts d'heure. Sortir du four et mettre à refroidir sur le rebord de la fenêtre.

LES ALCOOLS ET AUTRES BOISSONS APHRODISIAQUES

♥ CHAMPAGNE VOLUPTÉ

Dans une casserole verser 1/3 de miel, 1/3 de jus d'orange, 1/3 de cognac. Chauffer le mélange dans un récipient en terre cuite et laisser bouillir 5 minutes. Servir dans un verre à cocktail résistant à la chaleur avec du champagne.

♥ CHAMPAGNE CARITA

Au shaker : 1 jaune d'œuf, 2 cl de liqueur d'orange (Cointreau, Grand Marnier), 2 cl d' Armagnac, 1 cuillerée à café de miel champagne. Frappez et servez sans décor dans un verre à fizz, complétez avec le champagne.

♥ CHAMPAGNE QUI RÉVEILLE LE CŒUR

Pour un verre : 10 cl de jus de pêche de vigne, 10 cl de champagne frappé, 4 gouttes de liqueur de framboise, 1 cuillerée à café de gingembre frais, 1 râpée de noix de muscade, 1 petit piment rouge frais. Versez le jus de pêche dans le verre. Ajoutez la liqueur de framboise, le gingembre et la noix de muscade. Mélangez et versez le champagne. Fendez très légèrement la pointe du piment et posez-la à la surface du cocktail. Le champagne a la réputation de réveiller les amants fatigués, le piment de réchauffer le cœur.

❤ LE TONIQUE DU PAPE

Dans un litre de bon vin vieux doux, faire macérer pendant 7 jours les plantes suivantes : 30 grammes d'écorces de cannelle, 15 grammes de gentiane, 5 clous de girofle, 20 baies de genièvre. Remuez doucement tous les jours. Filtrez le 8e jour. Buvez un verre avant le repas du soir, par cures de dix jours, renouvelables si nécessaire.

❤ VIN STIMULANT

Dans un litre de vin rouge vieux, mélangez 10 grammes de berce, 15 grammes de feuilles de sauge, 10 grammes de romarin, 10 grammes de clous de girofle, 1 gramme de vanille. Laissez macérer dix jours. Agitez plusieurs fois par jour. Buvez, à raison d'un verre à apéritif avant chaque repas. Ce mélange est particulièrement recommandé pour les cas d'impuissance due à une fatigue occasionnelle.

❤ VIN MAGIQUE

Faire infuser 5 à 10 minutes le mélange suivant dans 200 ml d'un bon vin blanc sec bouillant : 15 g de gingembre (racines pulvérisées), 15 g de menthe poivrée (feuilles coupées), 5 g de poivre long (pulvérisé), 2 g de cannelle (écorce pulvérisée). Filtrez, ajoutez 50 g de sirop d'orange amère, et buvez cette infusion froide en deux prises à raison de 100 ml (une tasse à thé) en milieu de matinée et d'après midi pendant quelques jours. A renouveler à la demande.

❤ VIN COUP DE FOUET

Laisser macérer 11 jours dans 1 litre de Bourgogne rouge 30 grammes de semences de fenouil et 20 grammes de sommités fleuries de petite centaurée. Filtrer et boire 1/2 verre en cas de coup de pompe.

❤ VIN DU CENTAURE

Mélangez : 1 litre de bordeaux rouge Grave, 30 grammes de céleri et 15 grammes de sommités fleuries de petite centaurée. Laissez macérer 7 jours avant la pleine lune. Le soir, buvez un verre à bordeaux, après le repas.

❤ APÉRITIF APHRODISIAQUE

Prendre 1 litre de vin blanc sec et 200 g de gousse de vanille, 30 g de cannelle, 20 g de ginseng, 20 g de rhubarbe, 2 cuillerées à soupe de miel. Faire macérer la cannelle, le ginseng, la rhubarbe et la vanille dans un litre de vin blanc sec pendant une semaine. Remuer ce mélange chaque jour. A la fin de la semaine, filtrer, ajouter 2 cuillerées à soupe de miel.

❤ ÉLIXIR D'AMOUR

Versez un litre de vin rouge (de bonne qualité) dans un récipient en verre et ajoutez-y successivement 30 g de romarin (feuilles et sommités fleuries), 30 g de sauge (feuilles et sommités) et 50 g de miel de romarin. Faites chauffer le tout au bain marie pendant 1 heure, puis laisser refroidir avant de filtrer et de mettre dans une bouteille en verre que vous boucherez hermétiquement.

❤ VIN DES DIEUX

Pilez dans un mortier 2 pommes reinettes pelées et coupées en fines lamelles avec 5 grammes de coriandre et 1 gramme de cannelle, puis laissez macérer une quinzaine de jours dans un litre de bon vin de Malaga. Filtrez puis rajoutez 75 cl d'eau-de-vie, plus un sirop concocté à l'aide de 900 g de sucre de canne et 15 cl d'eau. Laissez reposer trois mois.

♥ VIN DE JOUVENCE

Mettre le tout à macérer dans le vin rouge pendant huit jours : 5 grammes d'écorce de cannelle, 2 grammes de racines de gingembre, 5 grammes de clous de girofle, 45 grammes d'écorce d'orange amère, 3 grammes d'écorces de citron, 1 gramme de feuille de kola, 10 grains de café. Remuer la bouteille tous les jours. Au bout des huit jours, filtrer avec un chinois. Boire un verre à apéritif pendant 15 jours. Vous pouvez reprendre la cure, après un arrêt de 2 semaines.

♥ VIN POUR LIBIDO SOMNOLENTE

Mélanger 1 litre de vin malaga, 30 g de gousses de vanille, 30 g de cannelle fraîchement râpée, 30 g de racine de ginseng écrasés, 30 g de rhubarbe tranchée. Faire macérer tous les ingrédients pendant 15 jours en brassant ce mélange chaque jour. Filtrer ensuite le mélange et y ajouter 15 gouttes de teinture d'ambre (disponible chez les homéopathes). S'assurer qu'elle est naturelle et non synthétique.

♥ VIN HYPOCRAS

Le bon roi Louis XIV s'en régalait et ses sujets lui en envoyaient en guise de présents. Dans un litre de vin rouge, faites macérer 350 g de sucre, des rondelles de poivron, de gingembre et une pomme reinette coupée en tranches, 12 amandes concassées avec leur peau, 12 clous de girofle et de la cannelle. Laissez macérer une journée et passez au tamis. En buvant ce breuvage, vous verrez 36 soleils ! On peut aussi y ajouter 1 grain d'ambre gris, mais attention, c'est alors terriblement aphrodisiaque !

❤ VIN ANTI-FATIGUE

Dans un litre de bordeaux rouge, laissez macérer pendant 8 jours 50 grammes de semences de fenouil concassées. Buvez un verre à Bordeaux après les repas.

❤ COCKTAIL APHRODISIAQUE

A la casserole verser : 1 verre de porto rouge, 1 trait de Curaçao orange. Faire chauffer. Retirer du feu avant ébullition. Verser dans un verre à thé (ou dans un verre résistant à la chaleur). Garnir d'une tranche de citron et saupoudrer de noix de muscade râpée.

❤ GINGEMBRE COCKTAIL

Mélangez 40 cl d'eau-de-vie, 100 grammes de raisins de Corinthe broyés, 30 grammes de gingembre frais, préalablement écrasé, 10 cl de sucre de canne, le jus d'un citron verre, 50 grammes de sucre en poudre doux, 60 cl d'eau. Mélangez énergiquement puis mettez au frigo une journée entière.

❤ ÉLIXIR DES AMANTS

Mélangez et pilez ensemble dans un mortier : 5 grammes de cannelle, 5 grammes de muscade, 5 grammes de myrrhe, 5 grammes de clous de girofle, 5 grammes de safran, 10 grammes de zeste d'orange, 10 grammes d'aloès. Mettre ce mélange dans un litre d'eau-de-vie qu'on laissera macérer un bon mois. Filtrez ensuite et rajoutez une livre de sucre en poudre et un demi-litre d'eau. Refaire macérer deux mois au minimum (en fait, plus l'élixir aura vieilli et plus il sera efficace !).

♥ COCKTAIL FIRST KISS

Dans un shaker versez : 1/3 de Cointreau, 1/3 de Jerez, 1/3 de Bénédictine, 1 trait de crème de menthe fraîche. Frappez au shaker avec de la glace et servez avec une cerise au marasquin dans un verre à cocktail.

♥ GINGER ORANGE

Dans une casserole verser : 20 cl de jus d'orange, 1 cuillère à soupe de gingembre en poudre, 2 traits de tabasco. Chauffer les ingrédients. Servir avec les zestes d'orange dans un verre résistant à la chaleur.

♥ COCKTAIL LOVE

Dans un shaker versez : 1 blanc d'œuf, 1/8 de sirop de framboise, 1/2 de jus de citron, 1 trait de marasquin. Frappez et versez dans des verres à cocktail.

♥ COCKTAIL PARADISE

Directement dans un verre : 1/2 de jus de citron, 1/2 de cognac, 3 huîtres, une pincée de poivre dans un verre contenant du jus de tomate.

♥ COCKTAIL NUIT DE FOLIE

1/3 de bacardi, 2/3 de pamplemousse et 1 trait de crème de framboise. Touiller les 2 premiers ingrédients au shaker et verser ensuite la crème de framboise. Volupté assurée !

♥ COCKTAIL SENTIMENTAL

Dans une casserole verser : 30 cl de bière, 2 cl de rhum brun, 3 jaunes d'œuf, 1 pincée de cardamome en poudre, 1 pincée de cannelle en poudre, un peu de gingembre. Chauffer à feu doux la bière, le rhum et les épices. Battre les jaunes d'œufs au fouet. Verser peu à peu le liquide chaud sur les œufs en remuant afin d'obtenir un liquide homogène. Servir dans un verre chauffé au préalable. Décorer d'un bâton de cannelle et d'un zeste de citron.

♥ COCKTAIL DE FEU

Prendre 75 cl de rhum blanc à 60°, 3 cl de vin blanc sec, le jus de cinq citrons verts, une demi livre de sucre roux en poudre, 4 blancs d'œufs battus en neige. Shaker avec une grande vivacité. Servir hyper glacé.

♥ BLUE VELVET DRINK

Mettre dans un shaker 25 cl de vodka, 25 cl de curaçao bleu, 15 cl de rhum blanc des îles, trois grains de cumin broyés, un clou de girofle broyé, le jus d'un citron vert, quatre glaçons pilés préalablement dans un torchon. Secouer énergiquement, puis mettre au frigo deux heures.

♥ CHIMÈRE COCKTAIL

Mettre dans un shaker 25 cl de Chablis, 15 cl d'Américano, une cuillerée à soupe de miel doux, une goutte d'essence d'ambre, un clou de girofle broyé, une cuillerée à soupe de rhum blanc des îles, une cuillerée à café de thé earl grey. Secouer énergiquement puis mettre au frigo deux heures. Servir dans deux grands verres dont les bords seront sucrés et imbibés de Curaçao bleu, et une tranche de citron jaune à cheval.

♥ PHILTRE D'AMOUR AU COGNAC

Préparez une décoction en faisant macérer 48 heures dans un demi-litre de vin blanc, 30 g de cannelle en bâtonnets, 1 gousse de vanille, 30 g de gingembre râpé. Filtrez le mélange et mettez-y 5 g de teinture d'ambre gris, 50 g de sirop de sucre auquel vous aurez préalablement ajouté 2 œufs de caille, un verre de cognac et une pincée de muscade râpée. Battez énergiquement tous les ingrédients, laissez reposer et buvez la potion magique une heure avant votre rendez-vous.

❤ LIQUEUR PARFAIT AMOUR

Mélangez les ingrédients secs en les écrasant dans un mortier ou un moulin à café : 1 bâton de cannelle de 15 cm, 1 cuillerée à soupe de thym frais ou séché, 1/2 d'une gousse de vanille, 1 cuillerée à café de graines de coriandre, 1/2 cuillerée à café de macis en poudre. Incorporez le zeste d'un petit citron, 600 ml de cognac. Faire fondre 250 grammes de miel dans 300 ml d'eau. Mettez en bouteille et étiquetée. Buvez 50 ml avant le coucher. Succès garanti !

❤ ÉLIXIR D'AMOUR AU CÉLERI

Mettez dans un mortier et pilez avec soin pour 75 cl d'eau-de-vie quatre à cinq cuillerées à café de graines de céleri. Mettez à infuser deux bonnes semaines pour filtrer. Ajoutez un sirop préparé avec 400 g de sucre en poudre et 20 cl d'eau. Laissez encore reposer deux bons mois.

❤ PUNCH COCKTAIL

Pour la préparation d'un litre de cocktail, mélanger 25 cl de rhum blanc, 20 cl de sirop de canne, 10 cl de gin, 10 cl de vodka, 15 cl de lait de coco, 15 cl de lait, le jus d'un citron vert, 3 cuillerées à café de cannelle en poudre. Mélanger énergiquement puis mettre au frigo au moins deux heures.

❤ ANGÉLIQUE COCKTAIL

Dans un mortier, pilez 20 g de semence d'angélique, 20 g de tiges d'angélique fraîche, 40 g de poudre d'amandes pour 1 litre d'eau-de-vie. Faites macérer au moins 2 bonnes semaines puis filtrez. Rajoutez un sirop classique préparé avec environ 200 g de sucre et 25 cl d'eau. Laissez à nouveau reposer un bon mois avant de consommer.

❤ BREUVAGE CONTRE L'ASTHÉNIE SEXUELLE

Faire un mélange en parties égales de poudre de gingembre (racines), diamana (plantes), romarin (feuilles), kola (noix), impératoire (racines), sauge (feuilles), menthe poivrée (feuilles). Prendre 3 grammes de cette poudre dans du liquide, aux deux principaux repas.

❤ TISANE APHRODISIAQUE

Faites bouillir 15 minutes 10 g (2 cuillerées à désert rases) du mélange suivant dans un demi litre d'eau : 70 g de ginseng (racine coupée), 10 g de cannelle (écorce coupée), 10 g de gingembre (racine coupée), 5 g de girofle (clou coupé) et 5 g de muscade (noix coupée). Filtrez, sucrez avec deux cuillerées à soupe de miel, et buvez cette décoction froide en deux prises à raison de 250 ml (un grand bol) en milieu de matinée et d'après midi pendant quelques jours. Vous pouvez renouveler de telles petites cures chaque fois que la nécessité s'en fera sentir.

❤ TISANE POUR LE TONUS SEXUEL

Mélangez 2 cuillerées à soupe d'anis vert (semences), 3 cuillerées à soupe d'eucalyptus (feuilles), 4 cuillerées à soupe de thym (feuilles), 4 cuillerées à soupe de romarin (feuilles), 5 cuillerées à soupe de menthe (feuilles). Conservez-les dans un bocal bien fermé, en verre de préférence. Pour servir mettez 2 cuillères à soupe du mélange dans 2 tasses d'eau bouillante, couvrez et laissez infuser 20 minutes. Ajoutez du miel et buvez. Il est conseillé de boire 2 tasses par jour entre les repas durant trois semaines et d'arrêter une semaine.

❤ TISANE COQUINE

Faire infuser 3 cuillerées à soupe par litre d'eau un mélange contenant en quantité égale : coriandre, berce, sauge, diamana, sarriette, anis, giroflier. Ne pas dépasser 3 tasses par jour.

❤ TISANE CONTRE LA FRIGIDITÉ

Mélanger 30 g d'arche, 20 g de menthe, 20 g de gratiole, 30 g de mandragore. Faire un litre d'infusion (10 mn) avec une cuillerée à soupe de ce mélange, sucrer au miel. Prendre 1 bol le matin, 1 bol au coucher.

❤ TISANE CONTRE L'IMPUISSANCE

Sélectionnez 10 g de gingembre, 20 g de roquette, 10 g d'ortie piquante, 10 g de menthe, 10 g de berce, 10 g de sarriette, 10 g de romarin et 20 g d'arche. Faites infuser 15 minutes. Une cuillerée à soupe de ce mélange pour un bol le matin, un bol au coucher.

❤ TISANE DYNAMISANTE

Faire une infusion à part égale, d'une cuillerée à soupe de basilic, thym, sarriette, à boire le matin et en début d'après midi.

❤ TISANE STIMULANTE À LA MENTHE ET À LA CANNELLE

Versez de l'eau bouillante sur 1/2 poignée de feuilles de menthe fraîche ou séchée et sur un bâton de cannelle. Laissez infuser 3 à 4 minutes et ajoutez un peu de sucre de canne. La fraîcheur des feuilles de menthe associée à la saveur de la cannelle donne une infusion très agréable lorsqu'il commence à faire chaud. Elle rafraîchit et stimule !

♥ TISANE ANTI STRESS

Infusez 10 g de feuilles fraîches de marjolaine par litre d'eau pendant 10 minutes. Filtrez et buvez un verre à la fin du repas. Parfumez avec une rondelle de citron. Cette préparation combat tout particulièrement la fatigue, l'angoisse et l'anxiété (tension nerveuse).

♥ TISANE SÉRÉNADE

Mélangez cannelle, sarriette, gingembre et girofle, à raison d'une cuillerée à soupe pour chaque plante dans un litre d'eau. Cette préparation gorgée de soleil est à déguster le soir en cas de baisse de tonus, de manque d'imagination ou de " lassitude " amoureuse.

♥ INFUSION CONTRE LA FATIGUE GENERALE

Mélanger en parties égales tormentilles (racines), thym (plante), origan (plante), romarin (feuilles). Faire une décoction légère de 5 g du mélange et prendre 2 à 3 tasses par jour entre les repas. Compléter en dehors, par des infusions d'hybiscus à prendre comme boisson.

♥ INFUSION STIMULANTE AU CUMIN

Comptez trois cuillerées à soupe pour un litre d'eau froide, amenez à ébullition puis retirez du feu et laissez infuser 10 minutes. Buvez 2 tasses par jour, après les repas. Dans les pays arabes, on ajoute du miel et du poivre pour stimuler le désir.

❤ INFUSION POMME/CANNELLE

Plongez 600 g de pommes golden grossièrement hachées, 1 bâton de cannelle, 3 à 4 cuillerées à soupe de cassonade dans un litre d'eau. Portez à ébullition, puis réduisez le feu et laissez frissonner pendant 10 à 15 minutes, jusqu'à ce que les arômes se dégagent et que les pommes soient tendres. Retirez du feu, laissez légèrement refroidir et mettez au réfrigérateur. Une fois l'infusion froide, filtrez-la et versez sur beaucoup de glaçons. Servez.

❤ INFUSION À LA MARJOLAINE

Contre les troubles du système nerveux (angoisse, tics, sommeil difficile). Comptez 50 g de feuilles séchées pour 1 litre d'eau bouillante. Infusez pendant 10 mn ; buvez trois tasses par jour dont une au coucher.

❤ INFUSION RÉCHAUFFANTE AVANT D'ALLER A LIT

Faites chauffer 600 ml d'eau. Ajoutez 3 cuillères à soupe de graines de fenugrec et continuez l'ébullition pendant 5 minutes. Ajoutez deux poignées de sarriettes fraîches, retirez du feu et laissez infuser pendant une heure. Filtrez et réchauffez sans faire bouillir. Buvez 2 tasses de cette infusion avant d'aller au lit et appliquez en compresse chaude dans le bas des reins.

❤ THÉ AU GINGEMBRE

Versez, après avoir ébouillanté la théière, une cuillerée à café de feuilles de thé (Darjeeling, Ceylan) et deux tranches fines de gingembre frais. Ajoutez lentement l'eau bouillante. Laissez infuser de 3 à 5 minutes. Passez dans une tasse chaude. Ajoutez encore trois tranches de gingembre et servez bien sucré. Peut se boire avec du lait versé en même temps que l'eau bouillante.

♥ TONIC À LA MENTHE

Coupez grossièrement 20 g de feuilles de menthe fraîche et mettez-les dans une casserole ainsi qu'une cuillerée à soupe de sucre. Ecrasez les feuilles avec une cuillère en bois. Ajoutez 1 cuillerée à soupe de jus de citron, 250 ml de jus d'ananas et 125 l d'eau bouillante. Mélangez bien. Couvrez et laissez infuser 30 minutes. Filtrez puis réfrigérez. Au moment de servir, ajoutez 250 ml de ginger ale et mélangez bien. Servez avec des glaçons et décorez avec des feuilles de menthe.

♥ JUS ANTI STRESS

1/2 céleri-rave, 1 botte de cresson, 2 carottes. Lavez les légumes et pressez les séparément avant de les mélanger. Vous pouvez utiliser du céleri branche. Dans ce cas, utilisez les tiges vert foncé du céleri en branches, car elles contiennent plus de nutriments.

♥ PUNCH AUX LÉGUMES

Coupez une grosse pomme, épépinée, 6 carottes, extrémités coupées et 4 branches de céleri, avec les feuilles en morceaux. Utilisez le poussoir pour introduire tous les ingrédients dans la centrifugeuse. Faites fonctionner l'appareil, puis versez le jus dans une grande carafe. Servez avec des glaçons, selon le goût.

♥ MÉLANGE DÉTONANT

Mélangez le tout dans un bol : un jaune d'œuf très frais, un jus de citron, une cuillerée à soupe de miel de romarin, une cuillerée à soupe de persil haché, 5 grammes de levain naturel. Passez au mixer rapidement. Mangez en guise de petit déjeuner.

❤ MIEL À LA GELÉE ROYALE + SARIETTE

Mélangez une cuillerée à café de miel de romarin à 4% de gelée royale et 3 gouttes d'huile essentielle de sarriette. Prenez une cuillerée à café de ce mélange, deux fois par jour : le matin à jeun, et le soir, au coucher. En cas d'absence de désir.

❤ SIROP DE GINGEMBRE

Pilez 25 grammes de gingembre frais pelé, mélangez avec 10 grains de poivre et un litre d'eau. Portez à ébullition et laissez bouillir doucement trois minutes. Laissez refroidir et filtrez à travers une mousseline. Remettez le poivre dans la casserole ainsi que le gingembre qui reste dans la mousseline. Ajoutez de nouveau un litre d'eau et portez à ébullition. Après quelques minutes, retirez du feu, passez le liquide et ajoutez au premier jus réservé. Dans le reste d'eau, faites dissoudre 600 grammes de sucre roux à feu très doux, sans bouillir. Laissez refroidir ce sirop et ajoutez au jus de gingembre le jus de 14 citrons verts. Cette boisson se conserve environ un mois au réfrigérateur. Elle est très tonifiante.

❤ SIROP STIMULANT

Ecrasez légèrement 1 kg de baies d'argousier et faites-les chauffer dans 1/2 de litre d'eau bouillante. Couvrez la cocotte d'un papier sulfurisé et laissez refroidir le tout dans un endroit frais et sombre, pendant vingt-quatre heures. Filtrez, ajoutez un kilo de sucre roux et trois cuillerées à café de citron. Mettez ce mélange dans de petits flacons d'une contenance de 500 ml et stérilisez pendant vingt minutes à 70°. Fermez les bouteilles à l'aide d'une capsule en caoutchouc.

❤ SIROP ANTIFATIGUE

Préparez tout d'abord une liqueur de cannelle à base de 100 grammes de cannelle macérée dans un litre d'eau de vie pendant trois jours. Puis, après distillation au bain-Marie, ajoutez un litre de sirop de sucre.

❤ JUS TONIQUE DE TOMATE ET DE CÉLERI AU PERSIL

Extraire le jus de 15 g de persil à la centrifugeuse, pour en dégager l'arôme, puis metter 6 tomates bien mûres, coupées en quatre et 4 branches de céleri, en tronçons. Réfrigérer et servir en décorant avec une branche de céleri.

❤ JUS DE LEGUME CONTRE L'IMPUISSANCE

Mélanger jus de carotte (30 cl), épinards (18 cl), betterave (9 cl), concombre (9 cl).

❤ JUS DYNAMISANT DE PERSIL

Extrait des feuilles et tiges du persil, c'est le jus le plus riche en nutriments. Il est recommandé de le mélanger à d'autres jus de légumes ou de fruits (carottes, céleri, tomates, pommes).

❤ JUS AU GINGEMBRE, AU CITRON ET À LA MENTHE

Mettez 15 g de gingembre, finement émincé, 125 ml de jus de citron, 2 cuillerées à café de miel et 1 cuillerée à soupe de feuilles de menthe fraîche dans une casserole et versez 750 ml d'eau bouillante. Laissez infuser 2 à 3 heures. Une fois la préparation refroidie, filtrez-la et mettez-la au réfrigérateur. Versez sur des glaçons dans des verres à jus de fruit bien froids.

❤ JUS DE POIRE ET DE POMME AU GINGEMBRE

Mélanger un morceau de gingembre frais de 3 cm avec 3 poires mûres et 5 pommes Granny Smith coupées en quatre dans une centrifugeuse. Versez dans une carafe, mélangez bien et servez.

❤ JUS D'ANANAS AU GINGEMBRE

Couper 3 oranges pelées en morceaux. Introduire les morceaux d'orange, 600 g d'ananas frais, haché et un morceau de gingembre frais de 3,5 cm dans une centrifugeuse à l'aide du poussoir. Faire fonctionner l'appareil, puis verser le jus dans une carafe. Verser dans des verres à jus de fruit et servir avec des glaçons.

❤ JUS DE FRUIT DYNAMISANT

Mélangez 1 kiwi, 1/2 tranche d'ananas frais, 1 orange, 1/2 citron, 1/2 cuillerée à café de germes de blé. Buvez frais le matin à jeun pendant 3 semaines.

❤ MILK-SHAKE TONIQUE

Passez 500 ml de lait, 2 cuillerées à soupe de miel, 2 œufs, 1 cuillerée à soupe de germes de blé, une banane coupée en rondelles et 1/2 cuillerée d'extrait de vanille au mixeur, jusqu'à obtention d'une préparation onctueuse. Réfrigérez et servez.

❤ FILTRE D'AMOUR GUATÉMALTÈQUE

Faites chauffer 2 gousse de vanille pendant 10 minutes dans 1 litre de lait. Retirez les gousses, pressez-les pour en extraire tout le suc et grattez-les pour conserver les petites graines. Ajoutez alors 2 cuillerées à soupe de cacao pur et délayez avec 1/2 de litre d'eau tiède. Ajoutez le lait chaud en remuant bien, puis 2 cuillerées à soupe de miel, et autant de sucre roux en poudre. Incorporez en fouettant 1/2 cuillerée à thé de poivre de Cayenne ou de Tabasco, 1 pincée de sel, 1 verre de rhum ou de tequila. Buvez bien chaud ou très froid.

♥ COCKTAIL DYNAMIQUE AU KIWI

Passez à la centrifugeuse 3 branches de persil, 1 citron, 1 carotte, 2 kiwis. Ce cocktail est à boire à jeun, avant le petit déjeuner.

♥ COCKTAIL CASANOVA

Mélangez 1 ml de cannelle en poudre, 125 ml de jus de pomme (utiliser des pommes légèrement cuites à la vapeur), 125 ml de jus de pamplemousse. Boire trois fois par jour.

BIBLIOGRAPHIE

ACKERMAN Diane, *Le livre de l'amour*, Grasset, 1990

ANGEL Sylvie (dir), *Mieux vivre mode d'emploi*, Editions Larousse, Paris, 2002

APFELDORFER Gérard, *Je mange, donc je suis*, Petite bibliothèque Payot, Paris, 1993

BARREAU Jacques, *Les hommes et leurs aliments*, Temps actuels, 1983

BEYALA Calixthe, *Comment cuisiner son mari à l'africaine*, Editions Albin Michel, 2000

BOURRE Jean-Marie, *La diététique du cerveau*, Editions Odile Jacob, Paris, 1990

BRUCKERT Ingeborg, *Santé et saveurs pour la bonne humeur !*, Chantecler, Belgique, 1999

CHAVOT Pierre, *Les piments du désir*, Editions Aubanel, Paris, 2002

FRELY Olivier, FRELY Rachel, *La vérité sur les plantes aphrodisiaques*, Editions de Medicis, Paris, 1990

GRENELLE Antoine, *Guide précieux des aphrodisiaques*, Editions Ramsay, 1978

HARRUS-REVEDI, *Psychanalyse de la gourmandise*, Essai Payot, Paris, 1994

HARRUS-REVEDI, *Psychanalyse des sens*, Payot, Paris, 2000

H.LEE William, *Augmentez votre puissance sexuelle : tous les stimulants de l'amour*, Louis Berald éditeur, 1989

HENNING Jean-Luc, Dictionnaire littéraire et érotique des fruits et légumes, Albin Michel, Paris, 1994

HUBERT Annie, Pourquoi les Eskimos n'ont pas de cholestérol, First document, 1995

MATHON Claude-Charles, *Quelques végétaux prétendus aphrodisiaques au Moyen Âge occidental et chez François Rabelais*, Mémoire d'ethnobiologie et biogéographie, faculté des sciences –Université de

Poitiers,1995

MULLER-EBELING Claudia, RATSCH Christian, *Le guide mondial des aphrodisiaques,* Manya, Paris, 1993

OLIEVENSTEIN Claude, *Ecrit sur la bouche,* Odile Jacob, 1995

PASINI Willy, *Nourriture et amour*, petite bibliothèque Payot, Paris, 1998

PIAULT (dir), *Nourritures*, Autrement, série Mutations, n° 108, 1989

PICARD Marie-Amélie, *Les aliments anti-vieillissement*, Editions Trajectoire, Paris, 2002

RATSCH Christian, *Les plantes de l'amour*, Editions du Lézard, 2000

ROTH Geneen, *Lorsque manger remplace aimer*, Les Editions de l'homme, Stanké, 1991

ROUSSELET-BLANC Josette, LEVEDRINE Anne, *Les aliments mythiques qui font les centenaires*, Michel Lafon, 1997

SAFRAN Serge, *L'amour gourmand, libertinage gastronomique au XVIIIème siècle*, La Musardine, 2000

SAUD Françoise, *Le couple au risque de la durée*, Desclée de Brouwer, 1998

SHAW Non, *Phytothérapie, guide illustré du bien-être*, Konemann, 1998

TORDJMAN Gilbert, *La sexualité au fil de la vie*, Hachette, 1996

TREMBLAY Réjean, *Couple, sexualité et société*, Document Payot, 1993

TREMOLIERES Jean, *Diététique et art de vivre*, Guide pratique Seghers, 1975

VINCENT Jean-Didier, *Biologie des passions*, Odile Jacob, 1986

WACK Raoult, " *Dis-moi ce que tu manges* ", Découverte Gallimard, 1998

YEARER Sélène, *Guide des alicaments*, Marabout, 2000

SOMMAIRE

Achevé d'imprimer
sur les presses de l'Imprimerie Moderne de Bayeux
ZI, 7, rue de la Résistance, 14401 BAYEUX
Dépôt légal n° 11480 - Avril 2003